島根の祭りと民俗芸能

いづも財団叢書 8

公益財団法人いづも財団
出雲大社御遷宮奉賛会［編］

口絵１　美田八幡宮の田楽（隠岐郡西ノ島町）

美田八幡宮では、隔年の９月に豊作を祈って例祭が行われる。祭礼は、神の相撲、獅子舞、田楽躍《でんがくおどり》の３種類で構成される。これらのうち、「十方拝礼《しゅうはいら》」と呼ばれる田楽躍は、中世芸能が色濃く残る本格的な田楽で、独特のリズムの動きや彩り豊かな衣装に特色がある。国指定重要無形民俗文化財。（写真提供：錦織稔之氏）

口絵２　津和野踊り（鹿足郡津和野町）
津和野町で毎年８月15日〜16日の両日にわたって踊られる念仏踊りの系譜をもつ盆踊り。400年前から踊り継がれているとの伝承をもつ。黒覆面に白鉢巻きをし、白の長振袖に角帯を締め、白足袋に黒の雪駄《せった》という異様な姿で踊る。踊りのテンポはゆっくりしている。踊りの中に「つかみ投げ」「ナンバ」「無駄足」などの所作が盛り込まれ、我が国の古い芸能の形態を見出すことができる。島根県指定無形民俗文化財。（写真提供：津和野踊り保存会）

口絵３　佐陀神能〈式三番・翁〉（松江市鹿島町）
佐太神社で毎年９月24日の御座替《ございかえ》神事及び翌日の例祭で舞われる。舞の構成は、七座（直面の採りもの舞）、式三番（祝言舞）、神能（着面の演劇舞）の三部から成る。このような三部構成は、慶長年間に佐陀（太）神社の宮川兵部少輔秀行が京にて能楽を学び、それを習って制作したとの伝承をもつ。この構成は、近世の出雲神楽に大きな影響を与えた。国指定重要無形民俗文化財、ユネスコ無形文化遺産登録。（写真提供：佐陀神能保存会）

目次

序章

第Ⅱ期公開講座の主旨と実施状況

第Ⅱ期公開講座の主旨と実施状況

公益財団法人
いづも財団事務局

一　公開講座の主旨と計画

1　公開講座の主旨

　当財団では、平成二十四年度から出雲地域を中心に島根県内の歴史や文化について公開講座を実施し、地域住民のふるさと意識の醸成《じょうせい》に努めている。同二十九年度までの六年間は、全体テーマを「出雲大社と門前町の総合的研究」とし、出雲大社遷宮史や門前町の発展・杵築文学などを主題に、毎年五講座一〇本の講演（シンポジウム・実演も含む）を行ってきた。

　このような取り組みは、地域の皆様から好感を持って迎えられ、六年間の受講者総数は、約四,〇〇〇名を超えるほどの盛況であった。

　そして、平成三十年度からは、島根には特色ある祭りや神楽が各地で行われているが、それらの内容が思ったほど県民に浸透していないことから、「島根の祭りと地域文化」を全体テーマとし、二年間をかけて考えることにした。

　二年目の今回は、主題を「島根の祭りと民俗芸能」とし、島根県内の祭りと特色ある民俗芸能について考えてみることにした。神事や仏事には、それらと関係深い芸能が執り行われるが、今回はそれらの芸能はどのような特色をもっているかについて考えてみようとするものである。公開講座は、例年どおり島根県立古代出雲歴史博物館との共催により、五講座一〇講演で開催することにした。

2　公開講座の計画

　上記の考え方に基づき、講座の計画を立案した。

　第一回講座【豊作を祈願する祭り】は、豊作を祈願する祭りとして執り行われる「お田植え神事」と「中世の田楽」を事例に取り上げた。いずれも予祝神事であるが、それらの芸能の中にみられる豊作を祈る心情を考えてみようとしたものである。

　第二回講座【盆と芸能】は、毎年夏になると全国各地で繰り広げられる盆踊りの由来と島根の盆踊りの特色について考えてみることにした。事例としては頭巾を被《かぶ》り独特の所作で名高い「津和野踊り」の特質と出雲地域の盆踊り歌の歌詞や掛け声の考察を行うこととした。

　第三回講座【神話・伝承にもとづく祭り】は、「国譲り神話を再現する神事」とされる美保神社の青柴垣《あおふしがき》神事・諸手船《もろたぶね》神事の特質とその本来的な意味について掘り下げてみることとした。また、「隠岐の牛突き」は、配流された後鳥羽上皇をお慰めすることが起源との伝承をもつが、その本来的な由来について考えてみることにした。

　そして、第四回・第五回講座【神々の声を聞く神楽Ⅰ～Ⅱ】は、出雲・石見・隠岐地域で祭りに付随して行われる神楽の本質的な意味や特色について考えてみようとしたものである。

　神楽は中世から行われおり、その原初的形態は神がかりとなった人から「託宣《たくせん》」を得るというものであった。このことを大元《おおもと》神楽（石見地域）や隠岐神楽から考える。また、出雲の近世神楽は佐陀神能《さだしんのう》が大きな影響を与えているといわれている。ここでは、出雲神楽の特質について考えてみたい。

　このような内容を一覧表にまとめたのが、次ページの計画表である。

二　公開講座の実施状況

第一回講座（令和元年五月二十五日〈土〉）
会場　島根県立古代出雲歴史博物館
主題　豊作を祈願する祭り
演題A　豊作を予祝する出雲地方のお田植え神事
講師　品川知彦　先生
（島根県立古代出雲歴史博物館学芸企画スタッフ調整監）

　わが国では、昔から豊作を祈る神事に稲作の模擬作業が組み込まれて行われていた。神様に稲作のことを知っていただくためである。

　まず正月には、予祝神事として田植えが行われた。品川先生には、お田植え神事の端緒は八〇四年に伊勢神宮で行われたことや、その後これが全国各地に広まったことなどを教えていただいた。また、お田植え神事の呼称は全国様々で、「田遊び」、「御田」、「春田打ち」、「なり

表１　いづも財団公開講座
全体主題：島根の祭りと地域文化（平成30年度～令和元年度　２年間）
第Ⅱ期（令和元年度）主題：島根の祭りと民俗芸能

回	講座テーマ	講演題目及び講師名	開催期日
1	豊作を祈願する祭り	A：豊作を予祝する出雲地方のお田植え神事 品川知彦 （県立古代出雲歴史博物館　学芸企画スタッフ調整監）	【令和元年】 ５月25日（土） 島根県立古代出雲歴史博物館 13:30 ～ 16:10
		B：田楽を主体とする中世芸能の伝承 錦織稔之（出雲市立佐田中学校教諭）	
2	盆と芸能	A：400年間踊り継がれた津和野踊りの歴史と未来 山岡浩二（津和野踊り保存会会長）	７月27日（土） 島根県立古代出雲歴史博物館 13:30 ～ 16:10
		B：出雲地方の盆踊り歌あれこれ 永井　猛（米子工業高等専門学校名誉教授）	
3	神話・伝承に基づく祭り	A：国譲り神話の再現　美保神社の青柴垣・諸手船神事 横山直正（美保神社権禰宜）	10月12日（土） 島根県立古代出雲歴史博物館 13:30 ～ 16:10
		B：伝承と隠岐の牛突き 岩崎ことい（隠岐の島町教育委員会主任）	
4	神々の声を聞く神楽（１）	A：藁蛇《わらへび》の舞・大元神楽 中上　明 （県立浜田高校定時制・通信制課程教諭）	12月７日（土） 大社文化プレイスうらら館 13:30 ～ 16:10
		B：出雲地方の「悪切」神事 石山祥子（県古代文化センター研究員）	
5	神々の声を聞く神楽（２）	A：巫女による託宣の形を伝える行法・隠岐神楽 錦織稔之（出雲市立佐田中学校教諭）	【令和２年】 ２月29日（土） 大社文化プレイスうらら館 13:30 ～ 16:10
		B：出雲神楽の源流・佐陀神能 岡　宏三（県立古代出雲歴史博物館専門学芸員）	

※講演時間はそれぞれ70分間です。
※講師の役職は講演時のものです。

わい」なども同義語とのことである。

お田植え神事は、山陰各地で見られるが、特に出雲地域に集中しているとのことであった。伊奈頭美《いなずみ》神社（松江市美保関町北浦）や田村神社（松江市八雲町西岩坂）のものは有名で、お田植え神事と豊作を占う神事もあわせて行われるとのことである。

演題Ｂ　田楽を主体とする中世芸能の伝承

講師　錦織稔之　先生（出雲市立佐田中学校教諭）

錦織先生は、まず「田楽とは何か？」から説明された。先生によれば、田楽とは新春に予祝として演じられる稲作に関する芸能の総称であり、芸態は様々で花田植もあれば、専業の田楽法師による芸もあるとのことである。

その具体事例として、隠岐郡西の島町にある美田八幡宮と日吉神社に中世から伝わる田楽（十方拝礼）の特色について説明があった。

田楽は受講者にとってなじみの薄い芸能であるが、先生は画像や動画を駆使してわかりやすく解説していただいた。

田楽は、豊作を祈る祭りに組み込まれた芸能であるが、西の島町ではこのような伝統芸能が数百年間にもわたって継承されていることに驚いた。

第二回講座（令和元年七月二十七日〈土〉）

会場　島根県立古代出雲歴史博物館

主題　盆と芸能

演題Ａ　四〇〇年踊り継がれた津和野踊りの歴史と未来

講師　山岡浩二　先生（津和野踊り保存会会長）

山陰の小京都である津和野には、古くから伝わる津和野踊りが伝えられている。これは、一説には戦国期に鹿野城主の亀井茲矩《これのり》が難攻不落の金剛城を攻めた際に、兵士に踊り子の紛争をさせ攻略。その時の踊りが発祥という伝説がある。

民俗学的には、室町時代の念仏踊りに起源をもつ踊りで、古い踊りの形態を伝えることから、島根県指定無形民俗文化財に指定されている。

山岡先生は、自らが踊り手であることから、実演を交えながら、足や手の所作・独特の服装・歌詞など多角的に津和野踊の特色を解説していただいた。踊りの中に「道行《みちゆき》」「無駄足《むだあし》」「ナンバ」など様々な所作が組み込まれているとのことであった。

演題B　出雲地方の盆踊り歌あれこれ

講師　永井猛　先生（米子工業高等専門学校名誉教授）

盆踊りは、一般によく知られた踊りであるが、その由来などについてはあまり知られていない。そこで、永井先生には、まず盆踊りの歴史から教えていただいた。

盆踊りの起源は、十世紀に空也が起こした踊り念仏にあること、十五世紀頃から盆に念仏踊りが行われるようになったこと、戦国期以降からは振りなどが統一された集団の踊りとなり、流行の小歌を組み合わせて楽器で囃《はや》すようになってきたとのことであった。

また永井先生は、盆踊り歌の歌詞に着目され、今日の盆踊り歌では「七・五・七・五」とか「七・七・七・七」の音律数が続く「くどき（口説き）」が使われていることや、出雲地方では「ヤーハトナイ」とか「ヨーイヤナー」の掛け声が使われているとの説明があった。

これまで、そのようなことは考えてもみなかったことなので、受講者からは新鮮で知的な刺激をうけたとの感想が多く寄せられた。

第三回講座（令和元年十月十二日〈土〉）

会場　島根県立古代出雲歴史博物館

主題　神話・伝承に基づく祭り

演題A　国譲り神話の再現　美保神社の青柴垣・諸手船神事

講師　横山直正　先生（美保神社権禰宜）

横山先生には、美保神社の著名な神事である「青柴垣神事」と「諸手船神事」についてお話しいただいた。一般に、両神事は「国譲り神話を再現する神事」として理解されている。しかし、四月七日に執り行われる青柴垣神事は、江戸時代には三月三日の桃の節句に行われており、春を迎え豊作を祈る予祝神事だったとのことであった。また、諸手船神事は江戸時代には十一月の午の日に行われていたそうで、神様に豊作を感謝する収穫祭に相当する神事であるとのことだった。

また、この両神事を支える頭屋《とうや》制度についても解説をしていただいた。受講者にとって初めて聞く話が多く、美保神社について再発見をしたという感想が多く寄せられた。

演題B　伝承と隠岐の牛突き

講師　岩崎ことい　先生

（隠岐の島町教育委員会主任）

岩崎先生は、隠岐の牛突きを全国的な視野から、豊富な資料にもとづき、ご講演をいただいた。一般には、牛突きは隠岐に配流された後鳥羽上皇のお心を慰めるために始まったといわれている。しかし、牛突きを史料上で確認できるのは江戸後期からとのことである。

牛突きは後鳥羽上皇の祭礼などの特別な日に行われ島民の楽しみとなっていたが、役所からは畑を荒らし農業の妨げになるとして、自粛《じしゅく》令や禁止令が繰り返し出された。これが、島民の楽しみや観光用として認められるようになるのは、大正から昭和時代にかけてのことだとの説明があった。

隠岐の牛突きについて、受講者からはこれほど詳しい説明を聞いたのは初めてという感想が多く見られた。

第四回講座（令和元年十二月七日（土））

会場　大社文化プレイスうらら館

主題　神々の声を聞く神楽（1）

演題A　藁蛇《わらへび》の舞・大元神楽

講師　中上明　先生（島根県立浜田高校教諭）

中上先生には、国の重要無形民俗文化財である大元神楽について講演をいただいた。この神楽は石見地域の小さな地区ごとに鎮座する大元神をまつるために行うとのことである。

式年祭になると大元神を神社に勧請し、夜を徹して神楽が行われる。着面の神楽能の合間に神がかりして大元神の託宣を伺うなど、様々な祭儀が執り行われる。

かつてはすべてを神職が行っていたが、明治時代に神職神楽が禁止されてからは、その土地の人々が舞うようになったとのことである。ビデオを活用しての講演であり、受講者は神がかりや託宣を得ようとする場面の迫力に圧倒された。

演題B　出雲地方の「悪切」神事

講師　石山祥子　先生

（島根県古代文化センター研究員）

石山先生には、出雲神楽の特色である「悪切《あくきり》」神事について講演をいただいた。石山先生は、「神楽とは何か」や出雲神楽の構成が七座神事（直面《ひためん》の採物《とりもの》舞）・式三番（祝言の仮面劇）・神能（演劇的要素を含む仮面劇）から成り立っていることなど基礎的なところから教えていただいた。また、「悪切」が七座神事ばかりでなく、出雲神楽の様々な場面で挿入されていることを豊富な史料に基づいて説明いただいた。受講者からは、出雲神楽を見る視点が増えたとの感想が多く見られた。

第五回講座（令和二年二月二十九日〈土〉）【中止】
会場　大社文化プレイスうらら館
主題　神々の声を聞く神楽（2）
演題A　巫女による託宣の形を伝える行法・隠岐神楽
講師　錦織稔之　先生（出雲市立佐田中学校教諭）
演題B　出雲神楽の源流・佐陀神能
講師　岡　宏三　先生
（県立古代出雲歴史博物館専門学芸員）

【講師先生には、資料を準備していただいたが、新型コロナウイルス感染拡大防止のために急遽中止した】

三　受講者の状況

令和元（二〇一九）年度の当財団の公開講座は、主題を「島根の祭りと民俗芸能」とし、島根県立古代出雲歴史博物館および大社文化プレイスうらら館を会場に四回実施した。第五回目は講師先生には資料を準備していたが、新型コロナウイルス感染防止のために止む無く中止とした。それぞれの講座に出席した受講者数は、左記のとおりである。

○第一回講座（五月二十五日）………八八名
○第二回講座（七月二十七日）………七六名
○第三回講座（十月十二日）…………八七名
○第四回講座（十二月七日）…………八四名
○第五回講座（二月二十九日）………（中止）
計　三三五名

受講者総数は延べ人数で三三五名だった。第四回講座までは順調に進んだが、最後の第五回講座は新型コロナ感染拡大防止ということで、急遽中止にした。講師からはすでに講演資料をお送りいただいていたが、主催者としては残念であった。

受講者を地域別にいえば、出雲市（大社町を含む）からが圧倒的に多く、全体の約七五%を占めた。これは、会場に近いことが理由かと思われる。次いで松江市、雲南市、奥出雲町、大田市、県外（鳥取県）の順であった。

第1章

豊作を祈願する祭り

お田植え神事

品川知彦

お田植え神事とは、年頭などに荒起こしから稲刈りといった稲作の過程を模擬的に行うことによって、その年の豊穣を祈る予祝行事である。この神事は出雲地方を中心に島根県内に少なくとも五十二例伝承されている（た）。小論ではいくつかの事例を紹介するとともに、お田植え神事と同時になされる儀礼に注目しながら、出雲地方に濃厚に伝承されている理由を、先学の論考をもとに推測したい。

しながわ・としひこ
昭和三十八（一九六三）年、山口県生まれ。東北大学大学院文学研究科博士課程前期修了。島根県立古代出雲歴史博物館学芸部長。専門は宗教史・宗教民俗学。
【編著書・論文等】
『出雲大社』（共著、柊風社、平成二十五年）、『出雲大社の祭礼行事』（共著、古代文化センター、平成十一年）など

はじめに

お田植え神事とは、荒起こしから稲刈りといった稲作の過程を模擬的に行うことによってその年の豊穣を祈る予祝行事である。島根県で少なくとも五二社に伝承されている（た）が、そのほとんどは出雲地方であり、出雲地方に濃厚に伝承されている行事と言うことができるだろう。また正月に行われることが多いことから、民俗事象としての仕事始め（例えば二日のない初め、乗り初め、十一日の鍬初め・田打ち）などと同一の心意からなされていたものとも推測できる。

模擬行為によって望んだ結果をもたらそうとすることは、神事や民俗事象のなかに多く見られる（例えば、横田神社〈松江市美保関町森山〉のハンボカベリ神事においてなされる、豊漁祈願のための「鯛釣り」など）。このような儀礼は一般に「類似は類似を呼ぶ」という考え方に基づく類感呪術と解釈されている。

お田植え神事の伝承事例が多いことから、個々のお田植え神事を歴史的な検討を含め詳細に論じることはできない。したがって小論ではいくつかの事例を紹介しながら、お田植え神事のさらなる解明のためには、この神事

と同時になされる儀礼を併せて検討する必要性があることを指摘するとともに、出雲地方に濃厚に伝承されている理由などを、先学の論考をもとに推測するに留めておきたい。

一　お田植え神事の概要

まず、新井恒易『日本の祭りと芸能』[1]に従い、お田植え神事の概要を押さえておきたい。島根県ではこの神事は「お田植え神事」と呼称されるが、荒井によれば、同内容の神事は「田遊」、「御田」、「春田打」、「なりわい」など地域によって様々に呼称されているという。そして同様の神事は、史料上では、伊勢神宮（皇太神宮および豊受大神宮）の鍬山祭に関する史料に見られるとしている。例えば内宮の延暦二十三年（八〇四）成立とされる『皇太神宮儀式帳』には、二月子の日の神田の耕作始めとして以下の記載がある[2]。

御田種蒔下《タネマキヲロシ》始ム（中略）御田仁到《イタリテ》立ツ酒作乃物忌乃父仁忌鍬令レ株ヲ弖大神乃御刀代《ミトシロ》田耕《ツクリ》始メ即チ田耕歌ヒテ弖田儛《タマイ》畢ヌ

とあり、鍬で神田を耕し種下ろしをしたことが記されている。種下ろしは通常、四月になされるとされることから、神田で鍬初めを行った上で、儀式的に種下ろしがなされていたことがわかる。また鎌倉初期の『皇太神宮年中行事』には

御巫ノ内人此ノ鍬ヲ持チ今年天下泰平諸人安穏年穀可二豊稔一之由祈申テ撃《ウツ》二地上一ヲ（中略）次ニ山向ノ内人一人桶ニ種ヲ小石入レ蒔レ之ヲ（中略）巡検シ（中略）今年ノ御苗《ミナエ》ハ従リ二前々ノ年一勝《スクレ》テ太ク逞《タクマシク》出来（中略）蕃長等参集蕃殖ノ作法ヲ勤仕ス以レ藁ヲ殖レ田ニ遊ノ作法

（後略）

と記されている[3]。ここでは同じ鍬山祭（二月一日）に、神田ではなく宮域内で鍬を用いて田打ち、小石を用いた種下ろし、その後、苗の出来を見た上で、藁を用いて田植えの所作が行われていたことがわかる。そしてこの祭が天下泰平、諸人安穏、年穀豊稔のためになされていたこともわかる。『皇太神宮年中行事』に比して、豊穣を祈るための模擬行為がより具体的になされるようになっていったのである。ここでは伊勢神宮を例としたが、このような儀礼が後述するように修正会にも取り入れられながら、やがて出雲地方諸社の神社祭祀に組み入れられていったものと想定される。

また新井は、お田植え神事（田遊）の全国的な分布を記している[4]。

奥羽地方……………六（四）[5]
関東地方……………一七（一五）
東海・東山道………六〇（三六）
北陸地方……………一四（八）
近畿地方……………八七（五七）
中国・四国地方……三六（一七）
九州地方……………一一三（?）　（括弧内は現存）

うち、中国・四国地方

岡山県………五（五）　広島県…………一（〇）
島根県……二八（一〇）　香川県…………一（一）
高知県………一（一）　（括弧内は現存）

全般的な傾向として、中国・四国地方においては島根県に集中的に分布していることがわかる。

さらに新井は、お田植え神事（田遊）が行われる時期を四類型に分けている[6]。

（1）正月行事としているもの
（2）二月行事としているもの
（3）三〜五月行事としているもの
（4）六月以後の行事としているもの

そして（1）が圧倒的に多いとし、「修正会系、その流れを汲むものであり、現在太陽暦の二月以降の行事となっているものの中にも、陰暦時代には正月行事としていたものが少なくない」[7]と論じている。（2）は上述の伊勢神宮のように伝統的な儀礼に基づくものもわずかながらあるものの、正月行事としてのお田植え神事が二月の祈念祭に組み入れられたものとしている。（3）は春行事（正月行事）が、上巳・端午の節句あるいは種下ろしの行事へ転化したもの、（4）は全国で九例しかなく例外としている。行われる時期は様々であるが、基本的にはお田植え神事が春（正月）の行事として捉えられていることがわかる。

さてここで資料1により島根県の状況を確認してみよう。市町村史（誌）を精査していないので遺漏があると思うが、全体的な傾向は把握可能だろう。冒頭でも触れたが、島根県では五二社でお田植え神事が伝承されている（た）ことがわかる。そのうち、四四社が出雲地方である。また少なくとも二〇社が正月（一月）の行事になっている。出雲地方に集中していることは、すでに荒井が中国・四国地方について「出雲地域に集中のほかは疎である」[8]とし、また石塚尊俊も「地域的には出雲に集中し、石見には少なく、隠岐にはただ一社、因・伯には一社もない」としている。その上で石塚は「どうしてこれが出雲に集中しているかは明らかでない」[9]と述べている。

二　出雲地方のお田植え神事

それでは出雲地方でなされるお田植え神事をいくつか紹介しておこう。

（一）伊奈頭美《いなづみ》神社（松江市美保関町北浦・一月五日）

集落を家順で巡る「六人組」と呼ばれる神社の世話人（当屋、そのうち一軒が本当〈大宮当〉となる）を中心に担われる。榊葉を苗に、薦を田に見立てて苗代の荒起こしから種下ろし、耕作田での田植え、稲刈りまでの一連の稲作の過程の模擬行為を行う。当社には、この神事用にミニチュアの鎌、鍬、鋤、馬鍬が伝えられている。

朝八時頃、「六人組」が集まり、神社の裏山に入り、椎の木などの常緑樹を伐り、これを神社前の浜に降ろす。この木を用いて、お田植え神事の後に行われるお的神事用の「山」と呼ばれる飾りを設ける。その後、「六人組」のうちの一人が、半紙にヤタガラスの絵を描く。これがお的神事の的（テンガラスと呼ばれる）となる。そして拝殿中央にミニチュアの農具、三方に載せられた裏白、榊葉が置かれ、これらをはさんで、左右に二枚の薦が敷かれる。

神事は神職と区長との間の、苗や稲の出来具合などについてのユーモラスな会話を交えながら進んでいく。

〔荒起こし〕

当屋の一人が輪締めを首にかけ牛の役となって四つん這いになり、もう一人が鋤を持って田（牛）使いとなって、向かって右側の薦を苗代とみなし、薦の回りをまわって荒起こしの所作を行う。

〔あぜぬり〕

当屋の一人が鍬を持って薦の回りを回り、あぜぬりの所作を行う。

〔代かき〕

再び牛役と田使い役が出て、田使いが馬鍬をもって代かきの所作を行う。

〔種下ろし（種まき）〕

榊葉を種に見立てて、苗代に見立てた薦の上に種をまく。

御田植え神事

名　　称	（雲陽誌との対比）	備　　考	出　　典
御田植祭			平成、山陰
御田植祭	（八幡宮）		平成、祭・行事、山陰、島根県下
甲山祭（御田植神事）			祭・行事、山陰
田植神事		菖蒲を稲として	山陰、島根県下
御田打祭			平成
御田植祭		１月３日（かつては11日）に御田打祭	平成、山陰
田植神事		復活　かつては12月21－23日	平成、祭・行事、山陰
御田植神事	（熊崎天王）		島根県下
田植的祭	（cf客明神）		平成、祭・行事、山陰、島根県下
	（三社明神）		平成、山陰、島根県下
御櫛祭（田植神事）			平成、山陰
田植祭			平成、山陰
田植神事	（小坂明神）		山陰
七日塔（大餅・田打・田植・武射）			祭・行事
田植祭	（cf客明神）		平成、山陰、島根県下
田植神事			山陰、島根県下
御田植祭			山陰
御田植祭			山陰、島根県下
田植神事	（七釜大明神）		山陰、島根県下
田植神事			山陰、島根県下、宍道
御田植神事・安産神事	（大森三社明神）		宍道
田植神事			山陰、島根県下
御田植祭（麦祭）・矢聲神事	（三社大明神）	茅を稲として	平成、祭・行事、山陰、島根県下
田打祭			平成、山陰
芝草神事		芝草を稲として	平成、山陰、島根県下
田植祭			山陰
田植の神事		松を稲として、松を水口にまく	祭・行事、山陰
田植神事			山陰、島根県下
御田植祭		松葉を稲として	祭・行事、山陰
御田植祭			山陰
祈念祭に田植神事あり			島根県下
献穀田祭（田植神事）			平成
田植神事			山陰、島根県下
田植神事			山陰、島根県下
田植祭齋田祭　田植祭拝殿祭			平成
田植神事	（六所明神）	的射あり	山陰、島根県下
田植神事			山陰、島根県下
田植神事	（五社明神）	杉の葉を稲	山陰、島根県下
田植神事	（八幡宮）		山陰、島根県下
田植神事			山陰、島根県下
田植神事			山陰
田植神事	（阿式宮）		山陰、（島根県下）
田植神事式	（大社）		
田植神事	（山王社）		祭・行事、山陰、島根県下
御田植祭（水口祭）			祭・行事、山陰、島根県下
田植式			山陰
御田植祭			平成
御田植祭（祇園祭）		かつては５月５日・６月15日	祭・行事、山陰、島根県下
御田植神事			祭・行事
		（土井町の机崎神社カ）	島根県下
田植え神事			祭・行事
田植神事			山陰、島根県下

・山陰…石塚尊俊編『山陰の祭祀伝承』、山陰民俗学会、平成９年。
・祭・行事…島根県教育委員会『島根の祭り・行事』、平成12年。
・宍道…『宍道町史』通史編下巻、宍道町、平成16年。

資料１　島根県内の

場　所		神社名	日　付
安来市	能義町	能義神社	５月15日
	赤江町	赤江八幡宮	５月５日
	下吉田町	甲山神社	５月３日
	安来町	紇神社	５月５日（絶）
松江市	東出雲町	阿太加夜神社	１月７日
	東出雲町	揖夜神社	５月28日
	鹿島町	佐太神社	７月15日
	南講武	多久神社	１月７日（絶）
	美保関町	伊奈頭美神社	１月５日
		爾佐神社	１月６日
	八雲町	熊野大社	４月13日
	八雲町	毛社神社	６月５日
	八雲町	磐坂神社	６月５日
	八雲町	田村神社	２月10－11日（旧１月６－７日）
	島根町	日御碕神社（野波）	１月７日
		日御碕神社（瀬崎）	１月７日
	大草町	六所神社	４月15日
	浜佐陀町	布奈保神社	１月５日
	西浜佐陀町	出島神社	１月７日
	宍道町	伊甚神社	１月17日（絶）
	宍道町	来待神社	１月７日（絶）
奥出雲町	（仁多）馬馳	八幡宮	旧３月３日（絶）
雲南市	加茂町	宇能遅神社	７月15日頃
		貴船神社	１月５日
		須美禰神社	４月10日
		十九社神社	６月４日
	大東町	稲荷神社	３月19日
	大東町	須我神社	１月17日（絶）
飯南町	（頓原）角井	角井八幡宮	７月15日
	（掛合）入間	八重山神社	５月13日
	掛合	狭長神社	
出雲市	斐川町	春日神社	５月最終日曜
	斐川町	佐支多神社	１月17日（絶）
	斐川町	富神社	１月７日
	下古志町	比布智神社	５月
	三津町	御津神社	１月７日
	本庄町	熊野神社	５月上旬（１月７日とも）
	久多見町	玖潭神社	５月３日
	塩冶町	塩冶神社	１月７日（絶）
	西園町	長浜神社	１月５日（絶）
	馬木町	熊野神社	１月７日（絶）
	大社町	阿式神社	１月７日（絶）
	大社町	出雲大社	５月15日
	湖陵町	安子神社	４月８日
大田市	川合町	物部神社	７月20日頃
江津市	敬川町	（八幡宮）黒木神社	７月11日
美郷町	（石見町）井原	折居神社	６月30日
	（石見町）中野	加茂神社	７月15日
	（石見町）矢上	諏訪神社	９月29日（絶）
益田市		杋寄神社	旧12月19日
隠岐の島町	飯田	飯田神社	３月21日
	下西	玉若酢命神社	６月５日

・島根県下…山路興造「島根県下御田植祭資料」『伝承』13、昭和39年。
・平成…『平成祭データ』、神社本庁、平成５年。

〔苗取り〕

「立派な苗ができた」などと述べながら、苗に見立てた榊葉を三方に移す。

〔田植え〕

向かって左側の耕作田とみなした薦の上に榊葉を置いていく。偶然かもしれないが、平成十五年の調査時では、「六人組」の中の、女性により田植えがなされた。

〔稲刈り〕

鎌を持ち、「立派な稲ができた」などと述べながら稲刈りの所作を行う。最後に、刈り取った稲（榊葉）を本殿に奉納して、お田植え神事は終了する。

〔お的神事〕

引き続き、お的神事となる。弓一張、矢九本を持って「山」に向かい、「山」の中ほどにヤタガラスを描いた的を恵方に向けて付ける。そして区長、総代、当屋の順に的に矢を射る。的を外れても、手で差し込まれる。矢が的に当たるとマンが良いとされている。全員が矢を打ち終わると、神職を先頭に「山」の回りを恵方回りに回ってから、神社に戻る。

その後、玉串奉納の後、次期の六人組から本当と歳徳神の本当を神籤で決定し、神事は終了し、直会となる。

「お田植え神事」がいつ頃からなされていたのかは史料的には明確ではない。しかし「お的神事」については『雲陽誌』の「客明神」[10]の項に「正月初丑の日百手の神事あり」と記されており、これが現在にまで受け継がれていると推測できる。

（二）田村神社（松江市八雲町西岩坂秋吉・二月十・十一日）

田村神社の七日塔、秋吉の大餅さんと呼ばれる神事。集落を奥地区・中地区・下地区に分け、それぞれ順番で選ばれる三軒の塔屋のうち、話し合いでうち一軒の主塔屋（宿）を選び、この主塔屋を中心に他の二軒の塔屋が協力して神事が担われる。大餅行事など様々な行事が複合した中、お田植え神事もなされている。以下、島根県教育委員会『島根の祭り・行事』（平成十二年）により、神事の概要を紹介しておく。

〔大餅神事の準備〕

十日、両親が健在の男性が集まり一升餅三枚を搗く。その後、大餅を絡め、神社に運び神社の拝殿左側の柱に横木を渡して大餅を固定する。

〔大餅神事〕

新塔屋の三人が神社前の河原に出て、笹竹に水をつけて祓いを行う。その後、神職が一連の神事を行う。

〔直会〕

女性たちによって準備された料理などで祝宴がなされる。

〔槍の神事〕

直会の最中、神職が本殿から槍を持って降り、拝殿の階下でゲゲと呼ばれる草履を履いて、的の前で猪をつく所作を行う。

〔歩射〕

神職が再び昇殿し、今度は弓矢をもって降り、的に矢を放つ。的に当たると凶作、当たらないと豊作とされている。

〔田打ち・田植え〕

神職が今度は鍬を持って田を耕す所作をし、「一鍬に千石、二鍬に万石、三鍬に数知らず」と唱え、割り箸を早苗に見立てて田植えの所作を行う。その後、神職は直会の席に戻り、塔屋渡しが行われる。

〔餅下ろし〕

宿から遠い塔屋の大餅から下ろされる。餅負いは未婚の男子の役である。餅を下ろそうとするとどこから「歌がない」と声がかかり、歌がはじまる。歌が終わると歌い手は数回床を踏みつける。これを何度か繰り返して餅が下ろされ、若者の背に付けられる。若者は一気に餅を背負って新塔屋に向かうが、その際、回りの者から雪団子が投げつけられる。雪がない年でも、他所から雪を運んでくる。

〔餅ならし〕

夕方、新塔屋で大餅が切られ、翌十二日の午前中に全戸に配られる。

なお、この神事は寺院でなされていた修正会の行事(大餅神事)が明治初年の神仏分離の際に、神社でなされていた歩射・槍突き・田植えの神事に組み入れられたものと伝わっている。

(三) 来待神社(松江市宍道町上来待・一月七日・中絶)

戦前頃まで当屋一五軒を中心に来待神社で行われていた。木製の牛頭面を用いたお田植え神事の中で綿包みの木人形を供える安産神事もなされていた。以下、昭和六年（一九三一）の「神社神事集」（島根県立図書館寺社史料№４０９）、および『宍道町史』通史篇下巻（宍道町、平成十六年）により紹介しておく。

〔田打ち〕

田打ち歌が歌われる中、田打ちの所作を行う。田打ち歌は以下の通りである。

此屋敷福ぶの屋敷種は蒔かねど親の世に　蒔いたる為か福となる

福ならば蔵屋へござれ俵をかけ　大黒はせい細けれど蔵の主

主ならば蔵屋へござれ俵をかけ　やよややよやと小竹の中に咲いた銭花……

〔代かき〕

当屋の一人が牛頭面を被り、もう一人が牛使いとなり代掻きをする。

〔種まき〕

神職から種籾として用いる松葉を受けて蒔く。

〔苗取り〕

苗取り歌にあわせて行う。

〔安産神事〕

苗取りの際に、当屋の一人が女装し、本殿から御飯を受けて田打弁当と称して式場に出る。この当屋は綿包み人形を懐中にし、式場中央でこれを落とす。これを別の当屋が抱き上げて「宮太郎」などと命名する。

なお、この神事は来待大森地区の秋葉権現に伝わったものと伝えられている。また、お田植え神事の中、安産祈願のための神事がなされているものとしては、安子《あこ》神社（出雲市湖陵町）のお田植安産神事（四月八日）がある。

三　近世のお田植え神事

それでは『雲陽誌』などを手がかりに近世のお田植え神事を概観してみよう。『雲陽誌』によれば、十八世紀前半、当時すでに中絶となったものを含めて二九箇所でお田植え神事がなされていた（資料２）。神事が行われる時期をまとめると以下の通りである。

一月　一七箇所（うち朔日…三箇所、七日…一二箇所、十七日…二箇所）

二月　五箇所（うち初午…三箇所、初申…一箇所、晦

資料2　出雲地方の近世のお田植神事

場所		神社等名称	日付	名称		備考	出典
				お田植神事関係	的神事関係		
島根	名分	的掛神社	正月七日		弓始の神事		雲陽誌
島根	講武	熊崎天王	正月七日	田植の神事			雲陽誌
島根	菅田	貴舟社	正月元朝	田植の神事			雲陽誌
島根	西川津	一成熊野神社	正月朔日	田植の神事		天地人の鏡とて大なる餅三枚をそなへ田植の神事あり	雲陽誌
島根	福原	虫野神社	正月七日		百手の神事		雲陽誌
島根	本庄	熊野三所権現	正月十一日		百手の神事		雲陽誌
島根	上川津	客明神	二月初午	田植の神事		田をうゆる規式あり	雲陽誌
島根	北浦	客明神	正月初丑		百手の神事		雲陽誌
島根	千酌	三社明神	正月元日	田植の規式		御供七十五膳を調て謡初…神歌を唄五穀豊穣の神事田植の規式あり	雲陽誌
島根	野波	客明神	正月初午		百手の神事		雲陽誌
島根	加賀	潜戸大明神	正月七日	田植の神事			雲陽誌
秋鹿	濱佐田	七釜大明神	正月七日				雲陽誌
秋鹿	古曾志	許曾志神社	二月初申	耕作の神事	百手の祭（絶）		雲陽誌
秋鹿	古曾志	釜代明神	正月七日	神田植神楽			雲陽誌
秋鹿	古志	客明神	二月初午	神田植の神事	悪魔討除	其年の作を皆つくりあつるとて的をちかくかけ、鵠を射あつるなり	雲陽誌
秋鹿	宮内	弓石	正月七日		弓始（絶）		雲陽誌
秋鹿	武代	客明神	二月初午	神田植の儀式	悪魔降伏弓初の神事	神酒御供をそなへ種初穂をたてまつり…	雲陽誌
秋鹿		苗松				佐陀大社十二月廿一日より廿三日までの祭祀の時、此松は葉をとり苗として神田植の神事あり	雲陽誌
秋鹿	長江	国司大明神	正月七日	神田植の神事			雲陽誌
秋鹿	大野	高野宮	正月七日		武射の祭（絶）	神人集て百手の的を射る…今は七種の粥はかりを供するなり	雲陽誌
意宇	西岩坂	小坂明神	五月五日	神田植			雲陽誌
意宇	八幡	平濱八幡	二月初卯		百手の的		雲陽誌
意宇	波入	三社明神	正月十三日		奉射の神事		雲陽誌
意宇	熊野	熊野社	正月三日		奉射の的		雲陽誌
意宇	上来待	大森三社明神	正月七日	御田植の神事			雲陽誌
能義	東赤江	八幡宮	五月五日	田植の神事			雲陽誌
仁多	上阿井	大森明神	正月七日	神田植			雲陽誌
仁多	上阿井	大歳神社	正月十三日		百手の的		雲陽誌
大原	宇治	三社大明神	六月十五日	神田植の祭法	百手の的（絶）	神楽畢て神田植の祭法あり、古老語て云往昔は三社にて流鏑馬百手の的鷹野なむとの神事ありけるか…神前に弓掛松とて老樹あり	雲陽誌
大原	三代	日吉山王	三月三日		奉射の神事		雲陽誌
大原	東谷	山神	正月廿日		百手の的（絶）	百手の的神楽を奏	雲陽誌
大原	諏訪	諏訪明神	正月十七日	田植の神事	百手の的		雲陽誌
出雲	上庄原	諏訪明神	正月十七日	田植の神事			雲陽誌
楯縫	鹿園寺	六所明神	正月七日	御田植の神事（絶）	的の神事（絶）		雲陽誌

場所		神社等名称	日付	名称		備考	出典
				お田植神事関係	的神事関係		
楯縫	園	正八幡	正月七日		（的を射る）	鏡餅四枚を神前にかけ、彼四枚の餅を當頭四人の者に贈、二枚は村中へ贈なり	雲陽誌
	久多見	五社明神	四月三日	神田植の神事			雲陽誌
	口宇賀	宇賀明神	正月七日	神田植	百手の神事		雲陽誌
	国留	旅伏権現	二月晦日	田植の神事			雲陽誌
		宇佐八幡	正月十五日		百手神事		雲陽誌
	東林木	八王子			百手の的（絶）		雲陽誌
	釜浦	石上明神	正月七日	田植の神事			雲陽誌
	三津浦	六社明神	正月七日	田植の神事	御的	御的田植の神事　俚俗伝て云昔蒙古の鬼日本をせめんとせしとき此神退治ありし遺風にて、今も御的の神事をつとむ	雲陽誌
	古井津	三社明神	正月七日	田植の神事			雲陽誌
神門	宇那手	熊野権現	九月二十九日		百手の的	七座の神事湯立獅々舞百手の的あり	雲陽誌
	塩冶	八幡宮	正月七日	田植神事			雲陽誌
			三月三日		百手を射る		雲陽誌
	遙堪	阿式宮	毎春	神田植		神田植として稲種をまつる	雲陽誌
	東神在	八幡宮	十月十五日		百手の的	鎮火百手の的御霊会	雲陽誌
	知井宮本郷	知井大明神	六月十五日	神田植	百手の大的	神行神田植百手の大的角觝	雲陽誌
	常楽寺	山王社	四月八日？九月廿九日？	神田植		神田植左右乙女を神事とす	雲陽誌

参考

美保関	美保神社	五月五日	田植之祭礼		（寛文十年）	御祭礼年中行事
宮内	佐太神社	正月七日		弓初之祭	（永正九年）	鹿島町史料
		六月十五日	田苗之祭			
		十二月二十一～二十三日	田植祭			
熊野	熊野大社	四月二十八日	下之宮御田打御神事		（宝暦十四年）	熊野大社並ニ村中諸末社荒神差出帳
口宇賀	宇賀明神	正月七日	御田植	百手射	（宝暦十四年）　神田植百手射御神楽　三斗餅一重	楯縫郡宇賀村村社書出帳
諏訪	諏訪明神	正月十七日	田植ノ式	百手	（宝永二年）　百手並田植ノ式敷、御祈祷御神楽	大原郡得塩郷諏訪村神社差出帳
遙堪	阿式社	正月七日	御田植神事		（元禄七年）（正月）七日祭礼　御供神楽且又有舞…御田植之神事	出雲水青随筆

御祭礼年中行事（美保神社蔵）
楯縫郡宇賀村村社書出帳（宇賀神社蔵）
大原郡得塩郷諏訪村神社差出帳（須我神社蔵）

日…一箇所）

四月　一箇所（三日）
五月　二箇所（五日）
六月　一箇所（十五日）

やはり十八世紀前半においても正月が多く、さらにその多くが七日の神事となっている。数のみから言えば、基本的には七日になされる神事と捉えられよう。

さて、ここで問題としたいのは、二九箇所のうち九箇所でお田植え神事とともに的神事（百手の神事など）がなされていることである。的神事は、集落によって違いはあるものの、害鳥などを射ることによって豊作などをもたらそうとするものである。参考に過ぎないが、前述の伊奈頭美神社や田村神社でも、現在、お田植え神事とともに的神事がなされている[11]。そこで次に、『雲陽誌』に記された的神事について、それが行われる時期をまとめると以下の通りである。

一月　一七箇所（うち七日が八箇所）
二月　　四箇所
三月　　二箇所
六月　　二箇所
その他　二箇所

お田植え神事と同様に、一月になされることが多く、さらには七日を祭日としたものが多いことがわかる。さらに、的神事の他にも、資料2では釜代明神・三社大明神、さらに資料2の参考に挙げたものでは、宇賀明神・諏訪明神・阿式社でお田植え神事とともに神楽が奉納されている。N数が少ないので推測に過ぎないが、少なくとも十八世紀前半頃の神社祭祀においては、一月七日を中心にお田植え神事、的神事、（祈祷の）神楽などがセットとなって、様々な年頭の祈願がなされていたと考えられよう。少なくともお田植え神事の更なる考察にあたっては、お田植え神事のみを検討するのではなく、セットで行われたであろう様々な神事と併せて考察する必要性があることをここでは指摘しておきたい。

四　修正会とお田植え神事

それではなぜ出雲地方にお田植え神事が濃厚に分布しているのだろうか。新井によれば「数多く伝承された出雲の田遊びにも修正会の背景があったようであり」[12]とし、お田植え神事の背景に修正会があったことを推測している。

修正会とは、寺院を中心に行われる正月の法会であり、その流れを汲む行事（ここではオコナイ系の行事としておく）が、資料3のように出雲地方に濃厚に分布している。一方、鳥取県には伝承が少なく、お田植え神事の分布状況と類似している。

さてオコナイ系の行事とは、年頭にあたって、寺院、神社などで、地域の安穏や豊作などを祈るものだが、出雲地方のそれの特徴として、秋鹿の御頭神事（大餅神事・松江市秋鹿町）のように、堂宇などに大餅を奉納すること、法要の最中に叩き串などを用いて大きな音を立てること、豊作祈願等のための牛王串が製作・配布されることなどを挙げることができる。そこで、大餅の奉納を手かがりとしながら、資料2の十八世紀前半のお田植え神事の状況を再度確認してみたい。まず島根郡西川津の一成熊野神社の正月朔日の「田植の神事」では、「天地人の鏡とて大なる餅三枚をそなへ」るとされている。楯縫郡園の「正八幡」では、お田植え神事そのものではないが、正月七日の的射の祭の記載において、鏡餅四枚を神前にかけ、その後、二枚の餅は村中に配られることが記されている。資料2の参考に挙げた口宇賀の宇賀明神では、正月七日のお田植え神事などの際に三斗餅が作られたことが記されている。また、参考に過ぎないが、前述した田村神社の七日塔では、お田植え神事と大餅神事が本来は別の行事として伝えられているにしても、現在、一連の神事として地元の人に違和感なく実施されている。

これもN数が少なく確実ではないが、十八世紀前半頃に、お田植え神事と大餅を奉納するオコナイ系の行事が一体となって行われれていた、少なくともその痕跡は確認できるのである。

ところで、中世の祭礼を歴史的・民俗学的に調査研究している福原敏男も、田遊（小論でいうお田植え神事）の成立の場が修正会に求められる可能性を指摘している。福原によれば、その具体的な内容は不明としながら、元弘三年（一三三三）の静岡県小笠郡の高松明神の

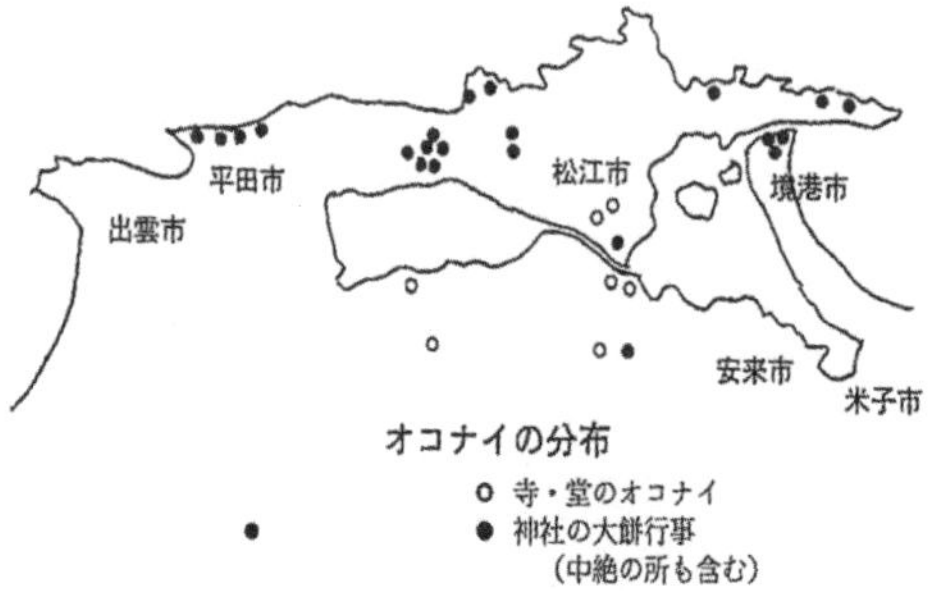

資料3　オコナイ系行事の分布
（石塚尊俊編『山陰の祭祀伝承』、山陰民俗学会、平成九年、189頁）

社家に伝来した『笠原庄一宮長日仏性幷色々御供料米拾六石下行之時納量于御宝蔵随于其当役令配分下注文事』では、正月七日に歩射、十五日に修正会に伴う神楽と田遊がなされていたという。また、愛知県猿投八幡宮の貞和五年（一三四九）の『貞和五年一年中祭礼記』において、修正会結願の際に田遊が行われていたとしている。さらに、奈良県北葛城郡の鹿島神社に伝われる文安元年（一四四四）の『座衆経営録』では、神宮寺である法楽寺の修正会において、正月十二日に「御田」（小論でいうお田植え神事）とともに、十六日に「弓的」、つまり的神事がなされていたという[13]。

その上で中世の田遊の具体的な内容がわかる史料として、多武峰（奈良県桜井市）の『常行三昧堂儀式』を紹介している。この田遊は修正会結願の正月七日[14]に修正会参籠の寺僧によって行われているが、福原が翻刻した『常行三昧堂儀式』により、田遊びの概略を記しておく[15]。

（1）僧四人（上所、下所、一和尚、二和尚）が火箸を持ち、これで田を打つ様な所作をする。その際、上所が「春鍬ハソヨナ」と述べ、下所、一和尚、二和尚は「ウツテノ小槌」とはやす。「田打ち」の所作と考えられよう。

（2）続いて籾まき（種まき）となる。上所が「福万劫ノ種トフ」と唱え、その他の僧が「クワ（鍬）、クワ、クワ」とはやし、三和尚以下が「吾ニタヘ」と懇ろに言って種をもらう。

（3）「田ヲスク」として上所以下四人の僧が「シシ」と述べ、火箸にて田をすく所作をする。

（4）「ヒル飯持申来候へ、申シマキ候ハン」[16]と述べ、上所が十一和尚、下所が十二和尚の持つ籾をまく所作をする。次に上所は十二和尚、下所は十一和尚の籾をまく所作をする。続いて一和尚は十一和尚、二和尚は十二和尚の持つ籾を蒔く所作をする。

（5）「苗を見候ハン」と言い、それを受けて「アハレ（天晴れ）候ヤ、ヨイ苗て候」[17]と言う。上所・下所、一～四和尚、五～八和尚、九～十二和尚はそれぞれ組になって手を取って踊る。苗取りの所作と考えられる。

（6）田植え。（5）の踊りを行い、上所が「奈良ノ京ノ桜ハ」と音頭を取り、他の僧は「八重ニサイテヨウヨシ」とはやして踊る。

このように、多武峰の修正会の結願の日に行われた田遊は、芸能（延年）の要素を含みながらも、稲作の模擬行為を行うものであったことがわかる。そして多武峰において結願の日は正月七日だったのである。これは修正会の結願の日を七日とする伝統も存在していたことを示しており、それは出雲地方のお田植え神事が正月七日に行われることが多いことの遠因にもなっているのかもしれない。

福原は「多武峰、比叡山、興福寺、天野丹生明神等の修正会こそが田遊び成立の場」と考えられるとし、これらの寺院の「遊僧が猿楽の田植え風流を採り入れ、正月の行事に形成した。様式化した芸能となった田遊びが各寺領に伝播し、その地の在地領主と農民は田遊びを正月行事として演じさせられた」[18]と論じている。その是非を判断することは筆者には不可能だが、少なくともお田植え神事が（さらに言えば的神事も含めて[19]）、修正会とともに出雲地方に伝わった可能性は指摘でき、それがオコナイ系の行事とともに、お田植え神事が出雲地方に濃厚に分布している理由の一つとして考えうることは指摘して良いだろう。

おわりに

お田植え神事解明のためには、お田植え神事のみではなく、同時になされる様々な神事とともに考えなければならないことを指摘した。その上で、新井の指摘に導かれながら、出雲地方にお田植え神事が濃厚に分布している理由の解明を、同様に出雲地方に濃厚に分布している修正会との関係に求めてみた。もちろん、このことを証するためには、出雲の諸寺院等における中近世の修正会[20]がどのような内容を持ち、どのような経緯で行われるようになったかを解明する必要があろう。

この課題は、中世史や芸能史を専門としていない筆者の能力を大きく超えている。小論では可能性の指摘に留め、後考を待ちたい。

【注】

1　ぎょうせい、平成二年、四三頁～四八頁、六八頁。

2　高知県立図書館蔵を利用。http://base1.nijl.ac.jp/iview/Frame.jsp?DB_ID=G0003917KTM&C_CODE=0099-002301

3　大和文華館蔵を利用。http://base1.nijl.ac.jp/iview/Frame.jsp?DB_ID=G0003917KTM&C_CODE=0257-027901
4　新井前掲書、六九頁〜七二頁。
5　ただし、田打ちから刈上げまでを歌舞化した田植え踊りは濃厚に分布している（新井前掲書、七〇頁）。
6　新井前掲書、七三頁〜七四頁。
7　新井前掲書、七三頁
8　新井前掲書、七二頁
9　石塚尊俊編『山陰の祭祀伝承』、山陰民俗学会、平成九年、八二頁。
10　北浦の東側、集落の入り口に、客神の杜がある。集落の人にとってはその中に入ることすら恐れられている場所である。客明神はこれを指していると考えられる。なお、十月五・六日には客神祭がなされ、そこでは六人組の中から選ばれた「花迎え」が神として祀られ、神事がなされている。
11　揖屋神社（松江市）で一月三日になされる御田打祭でも、田打ちと的射が同時になされている。『祭礼事典・島根県』（桜楓社、平成三年）によれば、かつては正月十一日に御田打田（神社神田）で行われていたものだとされる。現在では、まず神社前を流れる市原川の上流の「受摩の森」に鎮座する中受摩社に赴き、ここで空木の木で鍬を作る。そして同じ森に鎮座する下受摩社に移り竹で弓矢を作る。その後本社に戻り、紙に三本足の烏を向かい合わせに二羽描き、その間に「蟲」の字を記し拝殿に吊す。続いて神職が右の烏からその目を射る。射るごとに鍬が拝殿の鴨居にかけられる。引き続き烏の三本の足それぞれに矢を放ち、また「蟲」の字の「虫」の部分三箇所に矢を放つ。
　当社では五月二十八日に御田植祭がなされるが、これは、本殿壁画を見る限り、神田での田植えであったと想定できる（『出雲国と彩るかざり』〈松江歴史館、令和二年〉）。
12　新井前掲書、六五頁。
13　福原敏男『祭礼文化史の研究』、法政大学出版局、平成七年、四八〇〜四八一頁。
14　多武峰の修正会結願の七日に「田殖」がなされていたことは、すでに本田安次が「常行三昧堂儀式」を紹介した上で触れているものの（本田安次著作集『日本の傳統藝能』第十五巻、錦正社、平成十年、五四六頁）、詳細については記していない。

15　福原前掲書に翻刻がある。また概要の記載にあたっては、同書四八二～四八四頁を参考にした。

16　昼飯持の登場は、来待神社のお田植え神事における田打弁当を持つ女性が想起できよう。

17　良い苗が出きた、などの僧侶間の会話は、伊奈頭美神社の神職と区長などとの会話などにつながるものであろう。

18　福原前掲書、四八六頁。

19　オコナイ系の行事が濃厚に分布している滋賀県では、栗東町大橋地区、甲南町稗谷地区、甲西町三雲地区などオコナイの中で的神事がなされている事例が多く見られる。安産神事に直接関連する類例は現状では見出し得なかったが、男女の性器をかたどった飾り物を作る（山東町河内）ことや、油日神社（甲賀市）に男根を強調した「ずずい子像」が伝わることからすれば、豊作祈願とともに子孫繁栄も願われていたことが推測できよう。

20　出雲地方における修正会は、正平十二年（一三五七）の「塩冶八幡宮神主明仏譲状」に「三段正月修正田　高岡」（『大社町史』資料編上巻、大社町、平成九年、四五三頁）とあり、遅くともこの頃には行われていたものと推測できる。しかし、それがどのような内容で、どのようにして伝えられたものかは不明である。

田楽を主体とする中世芸能の伝承

錦織稔之

中世に一世を風靡した田楽は、現在、全国およそ六十数か所で伝承されている。そのうち四か所が島根県内であり、中でも隠岐・西ノ島町の美田八幡宮と日吉神社で伝承される田楽主体の芸能は、「隠岐の田楽と庭の舞」の名称で国の重要無形民俗文化財に指定されている。本稿では、美田八幡宮に伝わる史料を読み解くことで、中近世の祭礼構造を明らかにしようと試みるとともに、それが現在までどう維持されてきたのかについても目を向けたい。

にしこおり・としゆき
出雲市立佐田中学校教諭、島根県古代文化センター客員研究員。昭和四十六（一九七一）年、島根県に生まれる。明治大学文学部史学地理学科卒業。島根県古代文化センター専門研究員、島根県立古代出雲歴史博物館専門学芸員を経て現職。専門は民俗芸能、近世の芸能史。
【編著書・論文等】
『隠岐の祭礼と芸能』（古代出雲歴史博物館／編著）、『隠岐の祭礼と芸能に関する研究』（古代文化センター／編著）、『石見神楽の創造性に関する研究』（同センター／共著）、『中国地方各地の神楽比較研究』（同センター／共著）ほか

はじめに

「田楽」と聞いて思い浮かべるものは何だろうか。おそらく現代の多くの人たちは、料理の一つ、「味噌田楽」を思い浮かべるのかもしれない。豆腐やこんにゃく、里芋などを串に刺し、味噌を塗り付けて焼き上げた伝統料理。そう感じるのも無理のない話で、もし田楽を芸能か何かだと感じる人がいたとしても、それは歴史の中でわずかに耳にした程度だろう。

ここで取り上げる田楽は、もちろん芸能の田楽である。ただ、芸能の田楽であってもさまざまな芸態のものがその名で呼ばれている。『民俗小事典　神事と芸能』（吉川弘文館、二〇一〇年）によれば、田楽とは稲作に関する芸能の総称であるとし、次の三種に分けられるとしている。

①田植えを囃す楽
②専業田楽法師による芸能
③風流田楽

本稿で取り上げるのは、このうちの②であり、田楽躍《おどり》とも称される芸能に当たる。

一　田楽躍の概要

田楽躍とは、かつて「田楽法師」などと呼ばれた僧形の専門芸能集団によって演じられていた芸能である。躍子は腰太鼓役五～六人、びんざさら役五～六人で構成され、幾何学的な動きで、隊形を変えつつリズミカルに躍った。加えて、大陸伝来の散楽《さんがく》芸能である「刀玉《かたなだま》」「品玉《しなだま》」「高足《たかあし》」などの曲芸も演じた。「刀玉」はお手玉のように小刀を投げ上げるもので、「品玉」はそれが様々なものに代わる。「高足」は棒に踏み板を取り付け、ホッピングのように飛び跳ねる曲芸である。冒頭で取り上げた「味噌田楽」は、その有り様がこの「高足」の芸態によく似ているところから呼ばれ出した俗称とされる。

そのような田楽躍が記録に現れ始めるのは、十世紀の

写真１　「浦嶋明神縁起」に描かれた田楽躍
（古代出雲歴史博物館『隠岐の祭礼と芸能』より転載）

平安時代中期からである。鎌倉時代には、宇治平等院に属する白川田楽座（本座）と、奈良興福寺に属する奈良田楽座（新座）が隆盛した。中央で盛んになるとともに地方へも伝播し、各地の大社寺でも行われていたことが確認できる。出雲大社もその例外ではなく、宝治二（一二四八）年の遷宮の際には、「東遊舞《あずまあそび》」や「村細男《せいのお》」、「流鏑馬《やぶさめ》」などとともに、「田楽」が行われている[1]。「次田楽　郷々被宛、仍国中之猿楽等勤仕之」とあるように、費用は出雲国内の郷々に割り当てられ、実際に芸能を行うのは出雲国中の猿楽衆らが勤仕したとある。なお、この事例でも言えることだが、中世の社寺の祭礼では、田楽躍が単独で演じられるよりも、「王の舞」「獅子舞」「細男」「巫女舞」などと併せて演じられる傾向が強かった。

よく知られた話だが、鎌倉幕府執権の北条高時は田楽の愛好家だった。嘉暦四（一三二九）年に金沢貞顕が息子宛てに送った書簡では、「田楽の外、無二他事一候」とある。要は、田楽のほかは何も顧みない、と北条高時を酷評している。

そのような田楽躍だったが、室町時代になると猿楽能に押され、多くは中央からその姿を消した。地方に活路を見出したとされる。彼らによって伝えられた田楽躍は各地で地元民によって受け継がれていき、現在、全国およそ六十数か所で伝承されている。

二　島根県内で伝承されている田楽躍

現在、島根県内では四か所で田楽躍が伝承されている。全国およそ六十数か所のうちの四か所であるから、比較的多く伝えられている地域と言えるだろう。

（一）水上《みなかみ》神社のシッカク踊

〔呼称〕「シッカク踊」または「蓮角踊」
〔場所〕水上神社（大田市水上町）
　※同社は昭和四十六年に三社が合祀された神社。シッカク踊が伝えられてきたのは三社のうちの福原八幡宮。なお、合祀以前は祭日当日に浄土真宗正行寺の不二堂前でも躍られていた。
〔祭日〕【現　在】十月二十二日直前の日曜日
　　　【江戸期】旧暦八月十五日
〔構成〕「シッカク踊」（〈入波《いりなみ》〉・〈座替〉・〈四つ頭〉・

〈片波合《かたなみあわせ》〉・〈惣波合《そうなみあわせ》〉・〈布摺《ぬのずり》〉・〈大跳《おおとび》〉・〈小《こ》跳《とび》〉・〈背合《せなあわせ》〉・〈顔合《かおあわせ》〉・〈胡麻立《ごまだて》〉・〈柴舞《しばまい》〉）

〈由緒〉天永二（一一一一）年、摂津国福原からの伝と伝わる。

〈備考〉昭和六十二（一九八七）年に島根県無形民俗文化財に指定。

（二）多久《たく》神社のささら舞

〈呼称〉「ささら舞」

〈場所〉多久神社（出雲市多久町）

※旧称は大船《おおぶね》大明神。

〈祭日〉【現　在】十一月三日

【江戸期】旧暦八月十五日

〈構成〉「ささら舞」（〈鳥居の舞〉・〈大波の舞〉・〈小波の舞〉・〈船つきの舞〉・〈個別の舞〉）＋「相撲」＋「獅子舞」

〈由緒〉近江国滋賀郡松本村からの伝と伝わる。

〈備考〉昭和四十九（一九七四）年に島根県無形民俗文化財に指定。

（三）美田《みた》八幡宮の田楽

〈呼称〉「十方拝礼《しゅうはいら》」または「田楽」

〈場所〉美田八幡宮（隠岐郡西ノ島町美田）

※祭日前日には「笠揃《かさぞろ》え」と称して真言宗長福寺でも踊る。

〈祭日〉【現　在】隔年（西暦奇数年）九月十五日直近の日曜日

【江戸期】旧暦八月十五日

〈構成〉「神《かん》の相撲」＋「獅子舞」＋「田楽」（〈中門口《ちゅうもんぐち》〉・〈スッテンデ〉・〈小ざさら〉・〈総躍り〉）

〈由緒〉後述

〈備考〉平成四（一九九二）年に国の重要無形民俗文化財に指定。

（四）日吉《ひよし》神社の田楽

〈呼称〉「十方拝礼《しゅうはいら》」または「田楽」

〈場所〉日吉神社（隠岐郡西ノ島町浦郷）

※旧称は山王《さんのう》権現。祭日前日には「笠揃え」と称して真野宮司宅でも踊る。

〈祭日〉【現　在】隔年（西暦偶数年）の秋の日曜日

【江戸期】旧暦九月九日

写真４　美田八幡宮田楽の〈スッテンデ〉

写真２　美田八幡宮田楽の「神の相撲」

写真５　美田八幡宮田楽の〈小ざさら〉

写真３　美田八幡宮田楽の〈中門口〉

写真６　美田八幡宮田楽の〈総躍り〉

〔構成〕「庭の舞」+「神《かん》の相撲」+「十方拝礼」（〈中門《ちゅうもん》口《ぐち》〉・〈スッテンデイ〉・〈小ざさら〉・〈総躍り〉）
〔由緒〕真野宮司家の先祖が近江国滋賀郡真野庄より持ち伝えたとされる。
〔備考〕平成四（一九九二）年に国の重要無形民俗文化財に指定。

三　美田八幡宮に見る田楽躍と祭礼構造

（一）美田八幡宮田楽の初見史料

美田八幡宮における田楽躍についての古い記録は、天正十八（一五九〇）年の同社棟札が初見史料となる[2]。

【表面】

梵　梵　諸佛救世者住於大神通　大願主笠置善左衛門尉伴正綱　欽言
梵梵梵　奉　上　葺　八　幡　宮　寶　殿　天正十八季庚寅九月廿八日成就
梵　梵　為悦衆生故現無量神力　大工黒崎弥五郎　丹後人　鍛治塚本孫三郎

【裏面】

導師長福寺住持権大僧都良順　伴僧卅余口
助音法印尊賀　八十三才
田楽衆十二人　祢宜森野右衛門
社家棟梁宮内大夫　神子数十人
神主石塚弥四郎幸助

天正十八年九月二十八日、同社宝殿（本殿）の葺き替えが終わり、正遷宮が執り行われている。遷宮祭に当たったのは、導師が長福寺住持の良順、助音は源福寺住持の尊賀、加えて伴僧が三十余人。言うまでもなく彼らは仏僧である。また、神職に相当する者たちも関わっており、社家棟梁の宇野宮内大夫のほか、神子数十人が加わっている。つまり、神仏混交の形式で祭典が執り行われていたことがわかる。そしてここに「田楽衆十二人」の記載がある。現在の美田八幡宮田楽も躍手は一二人であり、それは後述するように文化十（一八一三）年時も同様であった。よって一二人という人数構成は、天正期までさかのぼる可能性が考えられてくる。

（二）美田八幡宮田楽の由緒

その由緒については、寛延四（一七五一）年に写された「美田村神社之縁起集」に詳しい[3]。後述する文化十（一八一三）年の「八幡宮祭礼式書」にもほぼ同様の由緒が記されており、この「美田村神社之縁起集」がもとになったのか、もしくはそれ以前から既に定型化された由緒が語られていたのかだろう。そこに記された由緒は次のようなものである。

一八幡大神宮御相伝
（中略）
一此社にハ延喜弐年より年を隔、国主隠岐守義信より八月十五日に天下泰平・国家安全・五穀成就・子孫盤栄の為に田楽の祭礼を被遊候所に、其後御支配代リ元弘元年未八月佐々木隠岐判官ゟ国中江被仰付、国中より米拾石被出、祭礼相勤申所に、文禄三年午年より国中ゟ出シ不申、当村より相勤申者也

あくまで後世に記された由緒であり、これを史実と捉えるわけにはいかないが、参考とすべき記述も見られることから、この由緒を丁寧に読み取ってみたい。

まず、「田楽の祭礼」の起源についてだが、それは延喜二（九〇二）年八月十五日から隔年で行われ始めたと記す。これは神社の創建を延喜元（九〇一）年八月十五日とすることから、それに合わせて飛び出してきた年号であろう。芸能史的に考えれば、延喜二年ということは考えにくいし、創始者である「国主隠岐守義信」という人物も、確かな史料では確認できない人物である[4]。そのため、田楽躍の起源についてはあくまで伝承の域を出ることはできない。

続くポイントは、元弘元（一三三一）年八月に「佐々木隠岐判官」の命により、隠岐国中から米十石集められ、それをもとにして祭礼が行われるようになったという点である。その契機となった人物は、『太平記』でも著名な隠岐守護の佐々木清高。これもよくできた話と言えなくもないが、その点を除くと、この時代に隠岐国中からの費用負担で祭礼が営まれていたという伝承は、決してあり得ない話ではなく、むしろ考慮したい手掛かりを与えてくれる。その点は後述する。

さて、このような隠岐国中からの費用負担で祭礼が営まれていたという状態は、文禄三（一五九四）年に停止されたとする。その背景を考えると、天正十九（一五九一）年に吉川広家が隠岐一国を含む領域の新領主となったことと無関係ではないだろう。多くの社寺がこの時期に社寺領を削減され、祭礼も廃絶したり、縮小化せざるを得なくなった事例が多数ある。美田八幡宮も同様に、これ以降、美田村だけで祭礼を維持しなければならなくなったとする。

（三）美田八幡宮の江戸時代の祭礼次第

田楽躍を主体とする、同社の祭礼次第を記す史料としては、文化十（一八一三）年の「八幡宮祭礼式書」が最も古く、そして詳しい。この書については、茂木栄氏が全文を翻刻し、『島根県隠岐島前　美田八幡宮田楽祭「十方拝礼」』（隠岐島前教育委員会、一九九二年）にコピーとともに釈文を掲載している。それでも読者の利便を考え、稿末に改めて全文を掲載した。まずはそれを参照して頂きたい。

　同書は、その序文で、次のように作成の経緯・目的を記している。

> 霊験あらたなる大切至極之御祭りを、近年者麁略之村方も有之候ニ付、此度改メ、往古より之通り掟書相認申もの也

　つまり、近年は祭りを粗略に扱う村内の里々もあるため、この度調査をし、旧来の通りの仕方を掟書にまとめたとする。そのため、同書にはどのような次第で祭礼が行われるのか、また各里がどのように祭礼に関わるのかが事細かに明記されており、江戸時代の祭礼の様子を具体的かつ詳細に知ることが可能となっている。

　まずは美田村の概要を記す。当時の美田村は、一部《いちぶ》（市部）・大津《おおつ》・小向《こむかい》・船越《ふなこし》・橋浦《はしうら》（波止）・大山明《おおやまあき》・美《み》田尻《たじり》の七里で構成されていた。庄屋は一部里に住む笠置大三郎が務め、それを補佐する年寄は各里から一名ずつの計七名いた。美田八幡宮が鎮座するのは美田尻里。美田村の最も東に位置し、島前代官所が置かれていた別府村と境を接していた。別当寺の高田山長福寺は真言宗寺院で、現在は大津に所在するが、当時は小向里に寺地を構えていた。美田村内には他に四寺あり、焼火山雲上寺を除く薬師寺・円蔵寺・龍沢寺の三寺はいずれも長福寺の末寺だった。

　さて、祭礼の次第をまとめると、【表１】のようになる。田楽躍を伴う祭礼は、現在同様に隔年で行われることになっており、その祭礼日は八月十五日。そして、そこに至るまでの過程は七月二十八日から始まる。その初日、庄屋宅に神主・祢宜、そして一部里の年寄と三人之役人が集まり、「役者帳附」といって役者決めが行われる。対象となるのは躍子と獅子舞の舞手。そして、八月朔日、役者決めに関わっていた一部里の三人之役人が、決定した事項を大津里へ知らせに行く（「案内」）。この

表１　「八幡宮祭礼式書」に記された祭礼次第

期　日	内　　容	場　所	関　係　者
７月28日	「役者帳附」（役者決め）	庄屋方	庄屋・神主・祢宜・一部年寄・一部三人之役人
８月１日	「案内」（役者決定の通知）	大津里	一部三人之役人
	「躍り始」（練習始め）	長福寺	躍子・囃子手ら、庄屋・年寄・一部三人之役人ら
８月２～５日	「習し」（練習）	薬師寺	躍子・囃子手ら
８月６～10日	「習し」（練習）	祢宜 八幡武右衛門方	躍子・囃子手ら
８月11～13日	「習し」（練習）	神主 月坂玄盛方	躍子・囃子手ら
８月14日	「祭り」	祢宜 八幡武右衛門方	宇野石見
	「清め」（湯立神事）、「御勤」（仏事）	神主 月坂玄盛方	宇野石見・長福寺僧
	「御勤」（仏事）	美田八幡宮神前	長福寺僧
	「笠揃」（最終練習）	神主 月坂玄盛方	躍子・囃子手ら、長福寺僧・庄屋・年寄・一部三人之役人ら
８月15日	「神前御戸開き」（本殿開扉）	美田八幡宮本殿	神主・祢宜
	「御神楽」	美田八幡宮参籠所	宇野石見ら社家方
	「神之相撲」、「獅子舞」、「十方拝礼」	美田八幡宮桟敷舞台	躍子・囃子手ら
	「大相撲」	美田八幡宮土俵	
	「喰酒」（直会）	庄屋方	関係者一同

時、決定を知らされた役者たちの気持ちはどのようなものだっただろうか。「八幡宮祭礼式書」や当時の史料に、その気持ちが察せられるような描写はないが、参考までに明治二十九（一八九六）年生まれの寒沢幸次郎氏が、昭和四十二（一九六七）年に記した手記を紹介する[5]。

象拝礼（十方拝）は私達の子供の頃、或は病気平癒、或は家内安全祈念の為、希望者が多く、大ツ組長宅でくじ引で踊子を決定するが、くじに当った家では祝盃を上げたものだ。中には五年、七年と願掛の者あり、長年踊り続けるものも多くあったが、時代の変ると共に他出者続出し、田舎には若い者（青年）が二人も残らず、今では人選難と云ふ有様だが、大津区に於ては之が保存の為、萬難を排して絶す事なく現在に至る

おそらく江戸時代もこのような気持ちで決定を喜んだことだろう。

さて、八月朔日の晩から早くも「頭次手」、つまりならしの躍り始めとなる。場所は長福寺。「郷中役儀」を務める者（庄屋・年寄・百姓惣代などであろう）や一部里の三人之役人、それに大勢の百姓たちが見守る

中で最初のならしが行われるのだった。それが終わった後は、すぐに解散となるわけではなく、躍子や囃子手、それに集まった者すべてに長福寺より夜食の賄いがなされるのだった。なお、もし長福寺が無住になった際には、祭礼の会計や賄いなどの世話役を務める年行司が賄い役を務めることになっていた。その場合でも、経費の負担は長福寺がすべきものとされていた。

八月二日から五日の晩までは薬師寺でならしが行われる。ここでもならしが終わった後には、躍子や囃子手のほか、莚《むしろ》敷きや灯明役の者などにも、茶や煙草が振る舞われることになっていた。それも薬師寺の役目だった。

八月六日から十日の晩までは祢宜宅にてならし。当時の祢宜は八幡武右衛門。同様に、ならしが終わった後には茶などが振る舞われることになっていた。もちろんそれも祢宜の役目。

八月十一日から十四日の晩までは神主宅にてならし。当時の神主は月坂玄盛。「大津神主」とも呼ばれるように、居宅は大津里にあった。ここでも同様に、ならしが終わった後には茶などが振る舞われることになっていた。もちろんそれも神主の役目である。なお、この神主と祢宜は実は神職ではない。神社および社領を所持する存在であることからそう呼ばれているが、実体は「宮守」だった。祭祀を執り行う神職は別にいた。この点については、第5章の「巫女による託宣の形を伝える行法隠岐神楽」で詳述する。

そして八月十四日。いよいよ祭礼の前日である。まずは早朝から祢宜宅にて「祭り」が執り行われる。祭祀を担うのは宇野石見。隣の別府村に居住し、六社大明神（現海《かい》神社）の神主を務める。彼は神祇管領長上の卜部氏（吉田家）から神道裁許状を受けた、当時公的に認められた神職である。先に紹介した天正十八年の棟札に記載の「社家棟梁宮内大夫」の子孫に当たり、代々島前の社家四家を率いる幣頭を務めていた。

さて、祢宜宅での「祭り」が終わると、今度は神主宅に移動し、「清め」（湯立神事）が執り行われる。この清めの湯で躍子たちは清めてもらい、最後のならしである「笠揃《かさぞろえ》」を行うことになっていた。現在ではこの「笠揃」を長福寺で行うが、かつては神主宅で行われていたことがここからわかる。また、長福寺住持も神主宅に赴き、宇野石見が「清め」を行うのに併せて、「御勤」を行うことになっていた。さらに長福寺住持は八幡宮にも参り、神前でも「御勤」を行う。

そして、いよいよ八月十五日。祭礼当日である。早朝より神主と祢宜は連れ立って八幡宮へ参り、本殿の「御戸」を開く。つまり開扉を行う。一方、宇野石見ら社家方は参籠所にて「御神楽」を始める。ただし、どの程度の神楽が行われていたのかは、これだけでは読み取れない。当時の神楽とは、今日で言うところの芸能としての神楽（採物《とりもの》舞と神楽能）だけを指すのではなく、祭典式をも含めた神事そのものとして捉えられていた。よってここでは祭典式だけだったかもしれないし、採物舞がいくつか加わるものだったのかもしれない。大きく見積もれば、「儀式三番八乙女《やおとめ》神楽」の可能性もなくはないが、この書に記載された社家方への謝礼は「精弐升石見殿へ」としかないので、宇野石見とその家族程度が参集するものだったように見受けられる。なお、隠岐神楽については、第5章の「巫女による託宣の形を伝える行法隠岐神楽」で詳述する。

また、この参籠所での「御神楽」と併行して、桟敷舞台では「神之相撲」「獅子舞」「十方拝礼」が始まる。これらの動きについてもこの書に詳細は記されていない。そのため、ここでは現行の有り様から推測して、その概要を記す。

「神之相撲」は、現在では童子二人がそれぞれ紅白のふんどしを締め、御幣に麻布を掛けたものを両手で持って登場する。傍らにはそれぞれ裃姿の行司が付く。舞台の中ほどまで進んだところで、手に持ったものを床に置き、両者互いに向かい合う。そして行司による「神が御相撲を致す」の掛け声を合図に、互いに鉢巻に挿した小幣を取り合うというもの。この一連の流れを繰り返すのだが、取り合うと言っても決して競技性はなく、儀礼的で年占《としうら》的な性格を有した相撲神事である。なお、昭和四（一九二九）年の記録[6]によると、「十四五才の童男二人」によるものとあり、さらに古くは小幣（しじん幣）を髷《まげ》に挿していたと記す。

続く「獅子舞」は、二人が布（胴幕）に入り、獅子頭の操作および前足役を務める者と、背中および後足役を務める者の二人立ちで演じられる。臥して眠る所作や、起き上がってあくびをしたり、のみを噛んだりする所作が入る。なお、島後の獅子舞のように、四隅の竹に突進して噛み付くような激しい所作はない。

そして、「十方拝礼」。現行の次第は、〈中門口〉・〈スッテンデ〉・〈小ざさら〉・〈総躍り〉の順に演じられる。〈中門口〉は僧形に扮した二人による躍り。頭には、四隅から紙垂《しで》を垂らした天蓋《てんがい》のような笠（「祭笠《まつりがさ》」と呼ぶ）を着け、手にはビンザサラを持つ。なお、「祭笠」の上面には曼荼羅《まんだら》のような意匠が施されている。〈スッテンデ〉は金鶏と銀鶏の冠をかぶった二人による躍り。腰に太刀を帯び、鼓を持って躍る。その出で立ちから「鳥」とも呼ばれる。〈小ざさら〉は子ども二人による躍り。傍らには大人の声掛け役が付く。手に持つのはスリザサラ（小ざさら）。頭に着ける「祭笠」からは赤色の長い紙垂を垂らす。そして一番の山場が〈総躍り〉。前出六人の躍子のほか、脇役の六人が頭に「祭笠」を着け、ビンザサラを持って加わる。よって総勢は一二人。二列縦隊の並びから円陣へ、そして円陣から再び二列の並びへと陣形を次々に変化させる。終局に近付くと、躍子が順々に舞台を退き、最後に残った中門口役が鎮めの躍りをして終わる。

なお、囃子と楽について、「八幡宮祭礼式書」は囃子手の人数こそ記していないが、楽は胴打が二人、笛吹が一人と記す。現在は囃子手三〜五人、胴打二人、di鐃鉢《にょうはち》一人で構成されており、笛の伝承は途絶えている。

以上のようにして、桟敷舞台での「神之相撲」「獅子舞」「十方拝礼」が滞りなく成就すると、土俵にて「大相撲」の興行が行われるとある。地域の力自慢たちが競い合う草相撲を指すと思われ、余興として祭りを大いに盛り上げたであろうことが想像される。

祭りのすべてが終わると、躍子や囃子手、そのほか神主や祢宜、「郷中役儀」の者や準備に関わった関係者一同は残らず庄屋宅に集まり、そこで「喰酒」の祝いが催されることになっていた。その賄い役は一部里と年行司が務め、その経費は美田村全体の予算から支出されることになっていた。二年に一度の祭礼で、しかも七月二十八日からの半月以上に及ぶ準備期間を経て成し終えた祭礼である。さぞや盛大な祝いの宴が催されたことだろう。

さて、続いては祭礼の所役や準備分担が各里にどのように割り当てられていたのかを見てみたい。それをまとめたのが【表2】である。先述の通り、美田村は七つの里で構成されている。村の庄屋・笠置大三郎の屋敷があるのは一部里。笠置家は中世以来の旧家であり、美田村の公文や庄屋を代々世襲してきた。島前各村の庄屋の上に立つ大庄屋（定員は島前に一家）に就いたこともある。そのためか、一部里は調整役的な役回りを果たしており、例えば「役者帳附」には、各里に一人ずつついる年

表２　「八幡宮祭礼式書」に記された各里の祭礼における分担

里　名	担　当　内　容
一部（市部）	案内役３人（三人之役人）
大津	十方拝礼躍子10人、獅子舞役２人、胴打１人、十方拝礼と獅子舞の指南
小向	囃子手、胴打１人、神之相撲役２人、神之相撲行司役１人
船越	習し中の松明料、桟敷舞台掛けと納め
橋浦（波止）	桟敷舞台掛けと納め
大山明	笛吹、楽屋掛けと納め
美田尻	相撲土俵拵え、代官所役人桟敷掛け、社家方送迎、社内掃除

※その他、特定の役が、別当長福寺、円蔵寺（中門口役１人）、龍沢寺（中門口役１人）、薬師寺、社家宇野石見、神主月坂玄盛、祢宜八幡武右衛門、庄屋、一部年寄、年行司、大津里の惣兵衛（子ざさら声掛け役、神之相撲行司役１人）にある。

寄の中で唯一一部里の年寄だけが加わることになっていた。また、そこで決定したことを知らせに行く「三人之役人」も一部里から選ばれることになっていた。

続いて大津里である。躍子一二人中、寺僧が担う中門口役の二人を除く一〇人をこの里から出すことになっていた。それだけでなく、獅子舞役の二人、胴打一人もこの里から出すことになっており、中心的な役回りを果たすのが大津里だったことがわかる。そのため、おのずと十方拝礼と獅子舞の経験者もこの里に限られてくることから、指南役を務めるのもこの大津里の役目だった。

小向里からは囃子手と胴打一人を出すほか、神之相撲役の二人とその行司役一人を出している。

船越里はならし中の松明《たいまつ》料を負担することと、桟敷舞台掛けを担う。もちろん祭礼が終わった後の片付けも合わせてである。

橋浦も桟敷舞台掛けを担う。

大山明里からは笛吹役を出すほか、楽屋掛けを担う。

美田尻里は、相撲土俵を拵えること、代官所役人用の桟敷掛け、社家方の送迎、それに社内の掃除も担うことになっていた。

なお、特定の役が寺や家に付いているものもある。先にも触れたように、躍子一二人中、中門口役の二人は寺僧が担うことになっていた。円蔵寺と龍沢寺の住持である。もしこれらの寺が無住になった場合などには長福寺の小僧か別の僧などを雇う形にして当てることになっていた。あくまで中門口役はこの両寺に付いた役として決められていたようである。また、子ざさら声掛け役と神之相撲行司役（二人のうちの一人）は大津里の惣兵衛が担当することになっていた。この惣兵衛というのは大津里の百姓惣代を務めており、家に付いた役と見てもいいのだが、もしくは口上がうまいとかの理由でその人に当てられたとも考えられる。

以上、「八幡宮祭礼式書」を読み解くことで、美田八幡宮における江戸時代の祭礼の様子を明らかにしようと試みた。ここでその特徴を取り上げてみたい。

まず一つは、田楽躍が既に氏子や村の寺僧たちの手に渡っており、中世のような専門芸能集団によるものではなくなっている点である。先に紹介した「美田村神社之縁起集」に記された由緒を最大限考慮すれば、氏子の手に渡ったのは文禄三（一五九四）年以降とみることができる。そう考えると、それ以前の隠岐国中から費用負担を得て行われていたときは、専門芸能集団によって担われていた可能性が考えられるのではないだろうか。そう考えさせる一つの根拠が、例の天正十八（一五九〇）年の棟札である。田楽躍の初見記事ともなる「田楽衆十二人」の一文だが、この時既に氏子の手に渡っていたのであれば、敢えてこのように明記する必要はなかったであろう。専門芸能集団であったればこそ、遷宮祭に関わった仏僧や神職たちとともに、彼らの名が特記されたと考えられるのではないだろうか。

また、別の特徴として、当時の祭礼というものが、仏僧が関わる仏事と、神職が関わる神事とが併行して行われていたという点を指摘することができる。前日の十四日に、神主宅で神職の宇野石見が「清め」（湯立神事）を、長福寺住持が「御勤」を行っている。また、長福寺住持はその日のうちに八幡宮の神前で「御勤」を行い、十五日には宇野石見ら社家方が神前の参籠所で「御神楽」を行っている。隠岐では明治時代初頭の神仏分離・廃仏毀釈まで、多くの神社で神仏混交の祭礼が行われていたことを確認できるが、その具体的な有り様がこの史料から見て取れる。

なお、日吉神社の祭礼も同様で、江戸時代には「大般若」「神楽」「庭の舞」「神の相撲」「十方拝礼」で構成されており、総称して「五本の祭り」と呼ばれていたと伝える。「大般若」はその名の通り大般若経の読誦で、真言宗常福寺が中心となって行っていた7。また、「神楽」は浦之郷村住の社家・秋月家が携わっていた。美田八幡宮と同様、日吉神社の祭礼も神仏混交で行われていたのである。

そしてもう一つの特徴が、美田村内の七つの里それぞれに費用負担や所役が割り当てられるなど、中世の荘郷鎮守社祭礼のあり方が受け継がれていた様子がよくわかる点である。隠岐では現在でも玉若酢命《たまわかすみこと》神社御霊会《ごれえ》、水若酢《みずわかす》神社祭礼、武良《むら》祭などでこのあり方が受け継がれ、維持され続けている。

（四）明治時代以降の美田八幡宮の田楽

以上のような特徴をもちつつ受け継がれていた美田八幡宮の祭礼だったが、明治二（一八六九）年に至り、隠岐全土を巻き込んだ廃仏毀釈の荒波にさらされることになった。長福寺、薬師寺、円蔵寺、龍沢寺は廃寺となり、祭礼や芸能の存続が危ぶまれたことは想像に難くない。この際に長福寺住持による「御勤」は途絶えたであろうし、中門口役を円蔵寺と龍沢寺の僧が務めることもできなくなり、氏子の手に渡ったと思われる。その後、長福寺は明治十二（一八七九）年に再興が許可され、現在の大津の地に復興されることになるが、再び八幡宮神前で「御勤」を行うことはなかったであろう。それでもいつしか「頭次手」の躍り始めは再び長福寺で行われるようになった。また、神主を代々務めてきた月坂家が明治以降、神社から離れることになったために、祭日前日の「笠揃」も長福寺で行われるようになった。

これらの点は「御神楽」についても同様のことが言える。美田八幡宮の神事を司っていた別府村の幣頭宇野家が、明治時代になって神職を離れ、神楽をも手放した。よってその後は焼火《たくひ》神社の松浦家が代々社掌、宮司を兼務して現在に至る。江戸時代の神楽とは、単に法楽の芸能（採物《とりもの》舞や神楽能）だけを指すのではなく、祭典式をも含めた神事そのものとして捉えられていた。祭典式と芸能が有機的に結び付き、一連のものとして機能していたのである。それが明治の世となり、全国統一の神社祭式が定められたことによって、新たな祭典式が執り行われていくことになった。隠岐では、郷社以下の神社に対し、明治五（一八七二）年十月五日付で県（鳥取県）から新祭式の執行が命じられている（「郷村社新規則」）。

つまり、それ以前の在地色の濃い祭典式は取って代わられたのである。中には「特殊神事」としての位置付けで、その一部が伝え継がれたものもあるが、かつての神事の全体像を捉えることは難しい。

　さらに戦後、社会は大きな変革を体験した。特に高度経済成長に伴う都市部への人口移動は、地方に過疎化をもたらした。もちろん隠岐もその例外ではなかった。昭和三十六（一九六一）年に美田八幡宮の田楽は島根県無形文化財（後に無形民俗文化財）に指定されたが、その際に「美田八幡宮田楽保存会清規」を定めている[8]。その骨子は次のようなものである。

美田八幡田楽保存会　清規

第一条　本会は美田八幡田楽保存会と称し、事務所を大津に置く

第二条　本会は美田八幡宮に伝承せられたる無形文化財「田楽」の保存並に維持するを目的とする

（中略）

第四条　本会に左の役員を置く

会長　一名　副会長二名

理事　二十名以内

一　理事は美田郷中七区の区長並に各区より選出する

二　会長及副会長は理事の中から互選する

三　役員の任期は四年とする、但、再任をさまたげない

（中略）

第八条　本会は旧来の伝統を尊重し、舞人、其の他すべて「八幡宮祭礼式書」によるを立前とするも、必要と認めたる場合は協議の上、変更することが出来る

昭和三十六年八月　決定

附記

従来美田八幡宮田楽執行の年には旧美田郷の各区、区長、有志会合して右に関する習礼に要する経費の捻出並打合等行ひ来りしも、昭和三十六年六月島根県指定無形文化財となりしを機会に規約をつくり、これが保存につとめることを約せり

この時点に至っても、「八幡宮祭礼式書」の規定が強く意識され続けていたことがわかる。ただ、社会が変わっていく中で江戸時代のやり方をそのまま維持するのは難しく、「必要と認めたる場合は協議の上、変更することが出来る」との規定を加えざるを得なかったとみえる。

　それでも、田楽躍を中心とした芸能の保存・伝承はでき得る限り努められた。そして平成四（一九九二）年、

美田八幡宮の田楽は、日吉神社の庭の舞とともに、「隠岐の田楽と庭の舞」の名称をもって、国の重要無形民俗文化財に指定されることになった。

おわりに

本稿では、田楽躍の歴史を概説するとともに、島根県内で伝承される田楽躍の概要を取り上げ、その中でも美田八幡宮の田楽を中心にして、残された史料をもとに江戸時代後期の実態に迫ってみた。美田八幡宮の田楽については、これまでも民俗学の研究者らによって調査が進められ、多くの研究成果が挙がっている。今回特に大きく取り上げた文化十（一八一三）年の「八幡宮祭礼式書」についても触れられることは決して少なくはなかった。松浦静麿氏が「隠岐美田八幡宮の田楽祭り」『民俗藝術』第二巻十二号（民俗藝術の会、一九二九年）で最初にその全文を翻刻・公開して以降、牛尾三千夫氏[9]や新井恒易氏[10]がこれを自著に転載している。ただし、これらの翻刻には誤植や省略も少なからず見られたため、茂木栄氏が再度全文を翻刻し直し、原本のコピーと併せて、『島根県隠岐島前　美田八幡宮田楽祭「十方拝礼」』に再掲するに至ったのは先述の通りである。このように、古くから知られた史料であったことから、既に新井氏や山路興造氏[11]によって読み込まれ、里々に所役が割り当てられる祭礼構造の特色や、長福寺およびその末寺による特別な関与について指摘がなされてきた。それでも今回、近年得られた新しい知見をもとに、改めてこの史料を読み直したことで、神仏混交の祭礼の実態など、これまで注目されることのなかった側面を浮かび上がらせてみた次第である。

隠岐には、中世や近世の祭礼のあり方が、もちろん完全ではないにせよ、比較的忠実な形で受け継がれていると言える。それはなぜか。離島という地理的条件が大きく作用していることはあるだろうが、別の視点として、かつて内藤正中氏はその著で次のように述べている[12]。

> 隠岐騒動がもたらしたものは、もちろんマイナスの影響ばかりではない。プラスの遺産もあったはずである。プラスの遺産という場合、一番大きなものは、地下持《じげ》ちとされて現在に継承されている区有財産である。それは、江戸期から村民共有のものとして入会利用してきた共同所有もあったし、隠岐騒動後の廃仏毀釈以来、寺院

所有であったものを区有財産にした場合もある。現在でも残っている共有財産取扱規程の多くが、明治初年の戸長時代に制定されたものをそのまま受け継いできているところをみても、隠岐騒動後に区で（当時の村で）共同所有にしたことは重要な意味をもっている。

　しかも、共有財産を基盤にして、隠岐での集落運営では、区長に強大な権限の行使が認められていたという特徴をもっている。区長を中心にして強力な共同体規制の中で、隠岐の特徴のあるコミュニティーが作られてきたといってもよい。

　隠岐における祭礼や芸能の伝承を考えるとき、単に離島という地理的条件だけに目を奪われず、内藤氏が指摘するような社会的特徴にも着目する必要があるだろう。それらの基盤に立脚した上で、やはり隠岐の人たちがもつ伝統を重んじる意識や深い信仰心もまた、忘れてはならない大事な要因であろうと付け加えておきたい。

【注】

1　出雲大社蔵「宝治二年造営遷宮儀式注進（杵築大社造宮所注進）」（建長元〈一二四九〉年）。『大社町史史料編（古代・中世）上巻』大社町、一九九七年、所収。

2　美田八幡宮蔵。『隠岐の祭礼と芸能』古代出雲歴史博物館、二〇一八年、六四頁に写真、一三六頁に翻刻掲載。

3　松浦道仁氏蔵。前掲『隠岐の祭礼と芸能』、六四頁に写真、一三〇頁に翻刻掲載。

4　松浦静麿氏が「隠岐美田八幡宮の田楽祭り」『民俗藝術』第二巻十二号（民俗藝術の会、一九二九年）の中で、「国主義信に就いては、神社の棟札に、『天正十三年乙酉当国守護佐々木九郎左衛門尉源義信』とある」と記していることから、多くの研究者がそれを孫引きしているが、この棟札は同社のものではなく、現隠岐の島町都万の天健金草《あまたけかなかや》神社（旧称八幡宮）のものであることが判明した。ただし、この棟札は写でしか伝わっておらず、また同時代の別の史料からも佐々木義信の存在を確認することができない。

5　「昭和四十二年九月 無形文化財美田八幡宮の田楽寒沢幸次郎の覚」『島根県隠岐島前 美田八幡宮田楽祭「十方拝礼」』隠岐島前教育委員会、一九九二年、五一頁。

6　前掲『島根県隠岐島前 美田八幡宮田楽祭「十方拝礼」』、所収。
7　松浦道仁氏蔵「常福寺年中法要并ニ神事修行控」（安政五〈一八五八〉年）。前掲『隠岐の祭礼と芸能』、六四頁に写真、一三一頁に翻刻掲載。
8　前掲『島根県隠岐島前 美田八幡宮田楽祭「十方拝礼」』、所収。
9　牛尾三千夫「隠岐島の田楽と庭の舞について」『島根県文化財調査報告』第六集、島根県教育委員会、一九七〇年、所収。
10　新井恒易『続中世芸能の研究』新読書社、一九七四年、所収。
11　山路興造「伝承された中世芸能―美田八幡宮の田楽―」『しまねの古代文化』第二十三号、島根県古代文化センター、二〇一六年。
12　内藤正中「隠岐騒動をめぐる諸問題」『隠岐国維新史―隠岐騒動の再評価―』山陰中央新報社、一九八六年、三四～三五頁。

【史料】「八幡宮祭礼式書」

「　隠州島前美田村
　　八幡宮祭礼式書
　　　　　神主
　　　　　月坂玄盛　」

一夫美田院正八幡宮と申奉るハ人王六十代の帝醍醐天皇の御宇延喜元辛酉年八月十五日に山城國男山より隠州知夫里郡美田院江勧請奉り、諸人尊ミ歩をはこひ諸願ヲ祈るに霊験あらすと云ふことなし、故に此社ニ者延喜二年より年を隔、国主隠岐守義信ゟ八月五日（十五カ）ニ天下泰平・国家安全・五穀成就・子孫繁栄之為に田楽之大祭を被遊候所ニ、其後御支配代り元弘二（元カ）年未八月ゟ佐々木隠岐判官ゟ國中之御祈祷、此社ニおゐて祈るに霊験あらすと云ふことなし、依而祭礼国中ゟ可相務旨被仰付、国中ゟ米拾石被出、大祭相勤申所に、文禄三年ゟ国中ニ出し不申候ニ付、大祭已一年も可相止所、祭礼年八月朔日ゟ八幡宮社内におゐて夜々ニ祭礼習しの声、大皷之音、在家江聞候ニ付、氏子神慮之程ヲ恐入奉り、美田院之物入ニ
而相勤申也
右様之霊験あらたなる大切至極之御祭りを、近年者麁略之村方

も有之候ニ付、此度改メ、往古より之通り掟書相認申もの也

文化十歳

酉八月吉良辰

八幡宮祭礼之次第

十方拝礼此祭りハ隔年ニ有之候、祭礼年に帳附と申ハ其年七月廿八日庄屋方ニおゐて役者帳面を相定、八月朔日ニ長福寺江上り、躍り始、二日晩ゟ五日之晩迄大津薬師寺ニ手(てカ)習し、六日より十日晩迄者祢宜方ニ而ならし、十一日ゟ十四日之笠揃迄ハ神主方ニ而ならし、十五日ニ者御社ニて祭り成就可仕候也

一十五日、社ニ而御祭りの次第ハ十五日早朝ゟ神主・祢宜同道ニ而社江参り、神前之御戸を開き、社家方ハ籠所ニ而御神楽始り、桟敷ニ而ハ神之相撲・獅子舞・十方拝礼始り、御祭就成(成就)仕候得ハ早速ニ大相撲興行可仕候事也

一役者帳附と申ハ七月廿八日庄屋方ニおゐて大津神主・祢宜・一部年寄并三人之役人打寄候て相談いたし、帳面相定可申候、若庄屋方ニ而て(ママ)間違有之候節者庄屋為代一部年寄かたニ而帳面相定申候、其時郷中ゟ御酒壱升五合宛ニ御祝ひ先格ニ而差出し可申候事

一頭次手と申ハ八月朔日之晩、長福寺ニ而躍り始メ、おどり終り候上ハ、躍子・はやし手、郷中役儀、三人之役人、百姓、其夜寄合候もの不残夜食壱飯、長福寺ゟ賄ひ候事、先格也、若長福寺無住之節ハ村方年行司ゟ賄ひ有之候、尤物入ハ矢張長福寺物入也

一八月二日ゟ五日之晩迄ハ薬師寺ニ而習し候、若薬師寺無住之節ハ長福寺ゟ人を下し、躍り子・はやし手之敷莚、仏前之燈明役儀之もの、役者之ものへ茶・煙草盆抔差出し候事、是長福寺之末寺役也

一六日之晩ゟ十日之晩迄ハ祢宜かたニ而習し申候、是も敷莚・茶抔、祢宜ゟ差出し可申候事

一十一日ゟ十四日笠揃迄ハ神主方ニ而習し申候、是茂莚・茶抔ハ神主ゟ差出し可申候事也

一十方拝礼躍子拾弐人、大津之里ゟ差出し申候、尤此内弐人、中門口と申ハ出家弐人、是ハ円蔵寺・龍沢寺両寺ゟ勤来申候

一獅子舞弐人、大津里ゟ指出し来候、尤是ハ大津ニ而無之節者郷中ゟ雇ひ差出し可申候

一躍子・獅子舞、七月廿八日ニ庄屋かたニ而相定り候而八月朔日之朝、一部三人之役人ゟ案内可有之候事

一中門口弐人、円蔵寺・龍沢寺両寺勤来申候得共、若両寺之内、無住か或者間違有之候節ハ、長福寺ゟ小僧ニ而も又者余之僧ニ而茂雇ひ、差出し可申候、尤是者本寺役也、十五日朝長福寺様

郷中ゟ御迎人足壱人
一はやし手ハ小向之里ゟ往古勤来之通り、違背仕間敷候事
一とふ打弐人、内壱人者小向ゟ出シ、壱人ハ大津ニて前々ゟ勤
来之通、急度相勤可申候事也
一笛吹と申ハ大山明ゟ罷出申候、八月朔日ゟ十五日迄勤来之通、
相勤可申候事
一楽屋懸ハ大山明、掛納共ニ往古勤来之通、急度相勤可申候事
一習し中入用之焼明松ハ、十三日之間、入用程船越ゟ先例ニて
差出し来り申候
一社之桟敷懸ハ橋浦・船越両里ゟ掛納ニ急度勤来之通り、違背
仕間敷候事
一角力土俵拵御陳(陣)中之桟敷并ニ社家方送り迎ハ美田尻《社内そふじ》ゟ前々之
通、急度相勤可申候事
一神之相撲弐人ハ小向の里ゟ前々之通、急度相勤可申候事
一神之角力行司ハ大津里惣兵衛、壱人ハ小向ゟ勤来之通、違背
仕間敷候事
一躍り習し中、長福寺・庄屋・年寄役人共ニならしの場所へ出
会可申候、是前々ゟ仕来り之通り指南之為に出合(会カ)申候、尤
ならし之間ニ者長福寺・庄屋・年寄仲間ゟ酒三升宛ニ三晩振
舞可申候、是又仕来り也
一大津里百姓中ハならし之度毎ニ罷出、躍り之指南可仕候事也

一十五日御祭り相済候得者神主・祢宜ハ勿論、郷中役儀并役者
はやし手、桟敷懸候もの迄不残庄屋かたへ寄集り、喰酒ニ而
祝ひ申候、是先格也、尤此賄ハ一部里ゟ薪等差出し賄候事格
合ニ而如此、年行司賄ニて物入者郷中一体之物入ヲ以テ賄可
申事
一子ざゝら声懸ハ大津惣兵衛前々ゟ相勤申候
一くろおどりと申ハ郷中ニ而立願、或者信心トして相勤可申候
事
一十四日笠揃ニハ長福寺・庄屋・年寄并三人之役人、其外大津
百姓中、早朝ゟ神主方へ寄集り、笠揃可仕候事
一石見殿ハ十四日早朝ゟ祢宜方へ祭りに被出、祭り相済候得ハ
早速神主方ニ而清め可有之事、長福寺茂同日神主方神前ニ而御
勤可有之候、是両人之寺社役也、尤清め相済候得者清め之湯
皆々戴キ笠揃ひ可仕候事也
一十四日湯銭拾弐銅・半紙弐速(束)・精弐合・扇子壱本、懸芋壱こ
き、赤紙弐拾枚、酒壱斗、精壱升、右之品々年行司ゟ相調、
十四日早朝ニ神主方へ相送り可申候事
一躍子鼻紙壱人前三枚宛
一御幣紙三状、御社ニ而入用、尤年行司ゟ差出し可申候事也
一獅子舞之着物仕立候もの、十四日ニ見合ヲ以テ雇ひ可申候、
但昼飯料として米壱升・酒壱升可差遣候事也

一精弐升石見殿へ、同壱升長福寺、同壱升円蔵寺、同壱升龍沢寺、同壱升神主方、同壱升祢宜方、〆七升、右之通り十四日ニ年行司ゟ夫々江相渡シ可申候事

一神前御酒壱升社ニ而小屋酒三升、外ニ壱升、美田尻里江年行司ゟ手合いたし、差出し可申候事

右之通、往古ゟ相定申候間、勤来之通、村々急度相勤可申候、尤此祭り者天下泰平・国家安穏・子孫繁栄之為、祈有之候得者往古者国中ゟ躍り、其後国中ゟ米拾石美田村へ差出し而相勤申候由之処、いつの比ニか当村切ニ而勤来申候、右様之御大切成ル御祭りニ有之候処、近年間ニ者麁略之村方茂有之候ニ付、此度相改メ、掟書致し、相定候上者向後猥之儀無之様ニ一同ニ可相心得候、以上

文化十年酉八月吉旦

美田尻村百姓惣代　文太夫
大山明百姓物代　徳三郎
橋浦百姓惣代　四郎左衛門
一部百姓惣代　和十郎
舟越百姓惣代　武太夫
小向百姓惣代　与平次
大津百姓惣代　惣兵衛
年寄　源十郎
年寄　林左衛門
年寄　祐七
年寄　甚太夫
年寄　元右衛門
年寄　庄左衛門
年寄　忠右衛門
庄屋　大三郎
祢宜　武右衛門
神主　玄盛
宇野　石見
別当　長福寺

第2章

盆と芸能

四〇〇年踊り継がれた津和野踊りの歴史と未来……山岡浩二

津和野踊りは、因幡国の鹿野城主だった亀井政矩が元和三（一六一七）年に津和野城主に移封されたと同時に伝来した踊りである。以来、津和野地方で盆踊りとして定着し四〇〇年以上踊り継がれてきた。踊りの所作や、歌詞、衣裳のどれをとっても古い形態がよく残っていることが評価され、昭和三十七（一九六二）年には島根県無形民俗文化財に指定されている。しかし、文献資料がほとんど残っておらず、ほとんどが口伝や伝承によるもので、謎も多い。本稿では、これまで語り伝えられてきた「定説」の一部に再検討も加えながら、その歴史と現状、未来について考えていきたい。

やまおか・こうじ
昭和三十一（一九五六）年、島根県津和野町に生まれる。法政大学社会学部卒業。津和野町役場に勤務し、森鷗外記念館開館準備スタッフ、商工観光課長、総務課長などに従事。退職後は津和野地方の郷土史、森鷗外研究などで講演、執筆活動を行っている。現在の役職には、津和野踊り保存会会長、津和野町国際交流協会会長、石見郷土研究懇話会副会長、津和野町観光協会副会長などがある。
【著書】『津和野藩ものがたり』（二〇一六年山陰中央新報社／共著）、『明治の津和野人たち―幕末・維新を生き延びた小藩の物語』（二〇一八年堀之内出版／単著）ほか。

はじめに

まず、「津和野踊り」の概略について、「津和野踊り保存会」が平成十四年に作成した小冊子『津和野盆踊りの由来と踊り方』から引用して紹介する（引用文中の丸括弧内は西暦年と引用者注。「／」は改行を表す）。

津和野盆踊りは、地元では単に「盆踊り」と呼び習わしているが、古くは「ヨイヤナァ」とも呼んだ。／この踊りは室町時代の一般庶民に盛んに踊られた念仏踊に属するもので、「道行」「拝み手・三つ拍子」「つかみ投げ」「ナンバ」といった古い民俗舞踊の型を伝えており、このことによって昭和三十七年島根県無形民俗文化財に指定された。／津和野の地にこの踊りが伝来したのは、元和三年（一六一七）亀井政矩《まさのり》が因幡鹿野城主から津和野城主に移封された時といわれ、以来三八五年（平成十四年〈二〇〇二〉現在）にわたって踊り伝えられていることになる。その由来として次のような伝承が伝えられている。／政矩の父茲矩《これのり》は豊臣秀吉の命を受けて因幡地方の平定に当たったが、鹿野近郊の兵頭《ひょうづ》源六が守る難攻不落と称せられた金剛《こんこの》城を攻略した際、源六が歌舞管弦を好むことを知り、衣の下に鎧を忍ばせて盂蘭盆《うらぼん》の日に金剛城下に踊りの一団を進め、城主や

現在の津和野踊り

幕末の城下の盆踊り
栗本格斎筆『津和野百景図』部分（津和野町教育委員会提供）

家臣が見物に出かけている隙に乗じて城を急襲し、ついに落城させたという。／踊りの衣装はこれに起因し、黒覆面に白鉢巻、鉢巻の左にうちわをさし、着物は白の長振袖に角帯をしめ尻からげをし、紺のももひきに白足袋、黒の鼻緒の雪駄をはいた異様な扮装である。また、踊りのテンポはゆるく、一般の踊りとは趣を異にし優美典雅な踊りである。／（中略）この踊りはめでたい踊りとして結婚式の披露宴でも踊るならわしが今でも伝わっている。／地唄は、太鼓・笛・三味線で伴奏し、三味線が唄い手も兼ねている。（中略）／唄は二十番あるが普通三番までを繰り返し唄っている。この唄の元唄は室町時代の歌謡集「閑吟集《かんぎんしゅう》」にあるといわれているが、唄だけ聴いても古雅な風趣がある（以下略）

この説明が、平成十四年時点までのいわゆる「定説」と言えるが、近年の新たな研究等によって、その一部に疑義が生じたり、訂正を加えるべき事項も出てきているので、本稿では、必要に応じて「定説」に対して訂正・追記などを加えながら、さらに詳述していきたい。

一　由来

「定説」では、津和野踊りは、元和三（一六一七）年、亀井氏が因幡国鹿野（現在の鳥取市鹿野町）から津和野に入封したと同時にこの地方に伝わったとされている。この点について、『津和野町史　第一〜三巻』（昭和四十五年〜平成元年　津和野町刊）の編著者である沖本常吉は、雑誌『民俗芸能・通巻三十三号・特集夏の風流』（昭和四十三年　民俗芸能の会刊）に寄せた論文「津和野踊りについて」で、「一応この踊の由来を鹿野移植説によってみると《ママ》」と、定説の由来譚を自ら「鹿野移植説」と名付けて一旦肯定したうえで、

その時の踊が後に亀井踊と呼ばれ、亀井氏移封後もこの踊が鹿野に遺り伝えられている。（同前）

と、津和野踊りと同じ由来譚をもつ「亀井踊」という踊りが鹿野地方に残っていると指摘したうえでこう続ける。

しかし現在の鹿野には亀井踊と亀井音頭の二つがあるが、共に津和野踊とは似ても似つかぬものである。（同前）

また、さらに続けて、津和野踊りの歌詞に、鹿野や亀井に関連する言葉が出てくることを指摘し（歌詞の引用は後述）、それを根拠として次のように「鹿野移植説」の可能性を探る。

津和野踊から鹿野移植説をどうしても肯定しようとすれば、この津和野踊の歌詞が或はこれを裏付けるかも知れないが、これとても津和野移封後において鹿野に対する郷愁と考えられないこともないのである。（同前）

このように沖本は、一貫して「鹿野移植説」に懐疑的なトーンであり、最後に次のように「ではあるまいか」と仮説的ながら、結論的な見解を示す。

以上みただけでも津和野踊が鹿野移植であることに多分の疑問が持たれると共に、亀井氏移封以前の室町時代末期に、未だ城下町の形成前の吉見氏時代の終わり頃から、津和野を中心に転々と津和野川流域の村々で「ヨイヤナア」は踊られていたのではあるまいか。（同前）

沖本は、津和野地方の郷土史や民俗学研究の第一人者（前述『津和野町史』編著のほか、『日原町史』の編著によって昭和四十二年に「第六回柳田國男賞」を受賞など）であるだけに、彼のこの指摘は軽視できないが、逆に沖本の「鹿野移植懐疑説」を裏付ける強い根拠もまた、見つかってはいない。筆者は、踊り自体は沖本の言うように、室町時代末期頃から民間信仰とも関連して津和野地方で踊られていて、そこに江戸時代初期に鹿野から移ってきた亀井氏の強い影響によって、玆矩の戦勝譚を伴う由来が付加されたのではないかと考えている。しかし、これもまた一つの仮説に過ぎず、現在のところの「津和野踊り保存会」としての公式見解は、従来の定説である「鹿野移植説」を踏襲しつつ、さらなる調査・研究を進めるということになる。

二　踊りの所作

津和野踊りの所作には室町時代に遡る古い形が多く残されている。代表的な所作には次のものがあげられる。

【道行《みちゆき》】 踊り始めに五歩前進する所作である。この踊りは時計回りの一重の輪になって前進しながら踊るが、踊り全体の中でもある程度まとまって前進するのはここだけなので、前進速度はかなり遅い。「道行」は、浄瑠璃や歌舞伎において男女が連れ立って駆け落ちや心中に向かう場面を指すこともあり、やや特殊なイメージを持つ言葉でもある。しかし、津和野踊りの場合はそこまで特殊な意味はなく、もっと本来的な意味合いである、一定の距離を徒歩で移動する動作を示し、比喩的には「旅」を表現しているかもしれない。すると、よく「どこへ行くのか」と質問されるのだが、愚考では、津和野踊りが念仏踊り、すなわち祈りの踊りであることも考えると、彼岸《ひがん》と此岸《しがん》の間を行き来する様を表しているように感じられるが、もちろん強い根拠があるわけではない。

【つかみ投げ】踊り全体を通して行われる両手の所作で、何かをつかんでは投げるように見えることからこう呼ばれる。これもよく「何をつかんで投げるのか」と問われる。明確には分からないが、先人は、人間の「煩悩」をつかんでは投げ捨てる動作だ、と説明している。

【拝《おが》み手】ゆっくりと手を合わせる所作である。拍手に似ているが音は出さない。両腕全体を下から上へ大きく回して、手のひらをすり合わせるように合掌する、まさに「拝み手」である。この所作が顕著に念仏踊りを表しているといえるだろう。

【三つ拍子《びょうし》】これは、踊りの中盤に体の回転と拝み手がセットになった所作を三回連続する動作を指している。しかし、元来「拝み手」は合掌であり、手を打って音を出す「拍子《ひょうし》」ではないはずなので、実は「三つ拍子」という呼び方は合理的ではない。これについて沖本は、最初は「拝み手」であったものが、途中で手で音を立てて楽器の代わりとした時期があり、それがさらに音をさせない形に戻るなどの変遷があったのではないかと考察しているが（前掲「津和野踊りについて」）、現在の踊りでは、古来の姿である音を立てない「拝み手」の形に統一している。

【ナンバ】同じ側の手と足を同時に前に出す動作で、踊り全体を通じて繰り返し現れる。この所作が顕著な踊りに徳島の「阿波踊り」がある。津和野踊りの場合は、反対側の手も軽く添えるので、少し分かりにくいかもしれない。なお、本来の「ナンバ」とは、古い武士の所作の一つで、長袴などで正装したときに両手を太ももに密着させたまま歩く動作が起源のようだ。この「ナンバ」が踊りに残っていることが、踊りの古さを最もよく表している、との専門家の指摘（民俗学者・山路興造氏が二〇一六年に津和野踊りを視察したときの談話）がある。

【無駄足】踊り全体を通して現れる特徴的な足の運びで、「踏み替え」とも呼ばれる。「道行」の際に顕著だが、足を一歩出して前進するときに、一旦前に踏み出した足を一度少し戻して、また改めてしっかり踏み出すような足の運びである。まさに「無駄足を踏む」ようにも「踏み替える」ようにも見える。踊りの足運びのほとんどがこの「無駄足」だが、たった一箇所だけこれをしない箇所がある。

【撞木《しゅもく》を踏む】「無駄足」を踏む際に、最初に出した足とまったく同じ場所に踏み替えの足を置くのではなく、最初の足と直角になるように踏むことを指す。「撞木」とは、お寺で鉦《かね》などを打ち鳴らすときに使用する丁字形の仏具で、つまりは「トンカチ」の形である。頭部がトンカチ形をした鮫をシュモクザメと呼ぶのもここから来ている。これも念仏踊りらしく、仏具の「撞木」にちなんでいる。

三　囃子と音曲

津和野踊りの囃子《はやし》（演奏）を担当する人々は地方《じかた》と呼ばれ、現在は、八月十五日の殿町盆踊りのときだけ生で演奏する。その構成は、三味線を弾きながら歌う人が五～六人、横笛が一～二人、大太鼓が一人。音曲は、三味線と横笛で奏でる哀愁ある旋律、情緒あふれる歌詞、非常にゆっくりとしたテンポなどが特徴だ。踊り手にとっては大太鼓が刻む重くゆったりとしたリズムが重要となる。この大太鼓の音が、常に踊りに静かな緊張感と安定感を与えるからだ。

地方《じかた》が演奏するための舞台、すなわち櫓《やぐら》は、古くは、臼を逆さに二段以上重ねて四隅に置き、その上に板戸などを渡して作ったらしい。その様子は、幕末から維新前後の盆踊りの様子を描いた絵図、栗本格斎筆『津和野百景図』の「九十九図盆踊」と、作者不明の『横堀《よこぼり》盆踊絵図』の両方に明確に描かれている。現在は、臼で櫓を作ることはない。

なお、殿町での生演奏の場合、夜が更けて踊りが最終盤になると、大太鼓のリードによって音曲のテンポを徐々に早くしていき、最後には、ついて踊れなくなるほど、あるいは演奏できなくなるほどテンポが早くなったところで、大太鼓が連打されて踊りは終了を迎える。これを「打ち上げ」と呼び、踊りの夜のクライマックスである。曲全体が非常にゆっくりとしたテンポで演奏されるので、そのテンポのギャップが大きいだけに、「打ち上げ」による爽快感は、長時間踊り続け、また、演奏し続けて、疲労も気持ちもピークに達した踊り手と地方《じかた》のみが味わうことのできるものであり、生演奏で踊る津和野踊りの最大の醍醐味だ。

四　歌詞の内容

津和野踊りの歌詞について保存会の冊子では、「二十番ある」と説明しているが、実は数種の書籍等によって五十近くが確認できる。これは、津和野踊りが、古くは盆踊りとしてだけでなく、雨乞い踊りや酒宴の席でも行われたため、次々と即興的な替え歌が作られたからだと沖本は指摘している（前掲「津和野踊りについて」）。したがって今日活字になっている歌詞は、発生した多くの歌詞のうち、たまたま何らかの理由で記録されたものと思われる。現在の地方《じかた》の演奏では、そうした多くの歌詞の中から次の三つを繰り返し歌い、そのほかの歌詞は歌われていない。

○松の葉越しに　出る月みれば
　見えつ隠れつ人目をしのぶ　ササヤーレコナーサ
　空にも恋路が　あるものか　ヨーイヤナー
○富士や浅間の　煙はおろか
　衛士《えじ》の焚く火は　沢辺《さわべ》の蛍（以下合いの手略）
　焼くや藻塩《もしお》の　身をこがす
○さても見事や　御手洗《みたらい》つつじ
　宵につぼんで　夜半《よなか》に開く
　夜明け方には　ちりぢりと

このうちの「松の葉越しに出る月見れば」の部分の元歌が室町時代成立の歌謡集『閑吟集』にあるというのが定説だったので、筆者は『新訂閑吟集』（一九八九年岩波文庫）などによって確認を試みたが、右の歌詞を発見することはできなかった。

しかしその後、山路興造氏の教示によって、狂言『靫猿《うつぼざる》』の中に

イヤ松の葉ごしに月見れば、
松の葉ごしに月見れば

（『日本古典文学大系四十二狂言集上』一九六〇年岩波書店刊）

という文言の存在を確認することができた。したがって、現在のところ筆者は、津和野踊りの「松の葉越しに云々」の元歌は、『閑吟集』ではなく、この『靫猿』の一節に由来すると考えている。狂言『靫猿』は室町時代の成立と言われるが詳細な時期等は不明である。また、

『靭猿』の「イヤ松の葉ごしに云々」の一節は、猿の命を大名に助けてもらった猿曳《ひ》き（猿回し）が、そのお礼にめでたい歌を次から次に歌う場面に現れるもので、室町時代を通じて京とその周辺で流行した歌謡の一部だと言われている。なお、『靭猿』のこのシーンには、『閑吟集』に見える、他の歌詞も散見されるので、「閑吟集説」はこうしたものとの混同によって生まれたのではないだろうか。

さて、現在津和野で歌われている右の三つの歌詞の内容についてみておこう。最初の「松の葉越し云々」には、「松」「月」「人目をしのぶ」「恋路」などの言葉が並び、一見して男女の恋愛を表現していることが分かる。「松」は「待つ」にかかっており、通い婚（主に女性の元に男性が通う形の婚姻形態。男女逆もある）の時代に、思い人を待つ心情を、月の出を待つ気持ちにも託した歌詞だろう。また、松は常緑樹であることから「変わらぬ愛情」の象徴でもある。日本では「月と松（待つ）」は、古代から日本人の恋慕の情や詩情を象徴する代表格である。

次の「富士や浅間云々」も恋心の歌だが、有名な火山の噴火や御垣守《みかきもり》の焚き火、「蛍」「藻塩」など、ここでは「焼く」や「燃える」を連想させる定番のものを並べて、つらい恋に身を焦がす心情や、秘かに燃える恋心を歌っている。

最後の「さても見事や云々」では、恋心以上にもっと直截的な「性愛」を連想させる言葉が並んでいる。なお、ここにある「御手洗《みたらい》つつじ」とは、おそらく、京都の下賀茂神社の御手洗池付近のつつじのことだろうと見当をつけているが、そうだとすれば、ただ「咲いて散る」ことの例えだけでなく、何かほかにも隠語的な意味合いが込められているはずだが、よく分からない（識見をお持ちの方からのご教示をいただければ喜びます）。

こうしてみると、もともと先祖の慰霊のための念仏踊りでありながら、そこで歌われている歌詞が恋愛や性愛を主なテーマにしているのは、一見不釣合いなことのようにも思える。しかしこれは、盆踊りという行事そのものが、男女の出会いや恋愛、もっと端的に言えば、村社会における性的解放の場として機能していたことと関連があるのだ。そのことを示す文学作品や研究書の例をあげてみたい。文学作品では森鷗外著『ヰタ・セクスアリス』（明治四十二年七月、雑誌「スバル」第七号掲載。詳細は後述）や、田山花袋著『田舎教師』（明治四十二

年十月　左久良書房刊）などがある。また、研究では、盆踊り研究の第一人者である小寺融吉が、『郷土舞踊と盆踊』（一九四一年、桃蹊書房刊）でわざわざ「盆踊と恋愛」という項を設けて九ページにわたって各地の盆踊りと恋愛に関するあれこれを紹介・考察しているものがあげられる。さらに近刊では、下川耿史著『盆踊り　乱交の民俗学』（二〇一一年　作品社刊）がある。下川は同書で「盆踊りが性的な乱交パーティーであった」と述べ、その考えは同書のタイトルにも表れている。筆者には、盆踊りを下川のように「乱交」とまで言い切っていいのかどうかはわからないが、その主張にはかなりの妥当性も感じている。

五　歌詞の形態

歌詞の形式は、「七七、七七、七五」の四十字型である。盆踊りに限らず、中世から近世にかけて最も民衆に広く歌われた歌謡形式は、「七七、七五」の二十六字型で、都々逸や小唄に多く見られる。津和野踊りは、この二十六字型に「七七」が加わった形になっているが、これは、二十六字型から「くどき」（「七七」あるいは「七五」の繰り返しによって物語を延々と歌う形式の歌謡）への移行過程の形が定着して、結果として両者の中間的形式になったのではないだろうか。即興的に歌詞を作ることが流行し始めると二十六字型では物足りなくなり、四十字型を好むようになったのかもしれない。

六　記録されている歌詞

次に、書籍等に活字となって記録されている歌詞について見ておきたい。筆者が参照したのは、次の文献である（刊行年順）。

『西石見の民俗』（和歌森太郎編／昭和三十七年　吉川弘文館刊）所収の宮原兎一執筆「第六章　盆踊」

『民俗芸能／通巻三十三号／特集夏の風流』（民俗芸能の会編／昭和四十三年刊）所収の沖本常吉執筆「津和野踊りについて」

『津和野ものがたり5　鷺舞と津和野踊り』矢富巌夫著（昭和四十八年　津和野歴史シリーズ刊行会刊）

『石見日原村歌謡集　水まさ雲』大庭良美著（昭和五十一年　石見郷土研究懇話会刊）

これらの文献に掲載されている歌詞には、重複もあるので、全体的に整理して、前掲の三つの歌詞以外のものからいくつかを紹介したい（歌詞の転記に際して「ヨイヤナア」などの合の手は省略し、明らかな誤字等は筆者の判断で改めた。「／」は句の区切りを示す）。

○那須の宗高《むねたか》八嶋の浦で／さっと射落とす日の丸扇／波にゆられてながれゆく

○王舎城《おうしゃじょう》裏《り》のあの殿方は／こわいようでもなさけが深い／深いはずだよ亀井さま

○さくら削って心をします／昔語りに涙が落つる／夜風身にしむ院の庄

○ひとり秘かに心をかため／君をすくひしあのつわものの／紋は角ある四ツ目ゆひ

○汲みに来たれど伏井《ふせい》の清水／心あるかやあの二人づれ／星と蛍の影のこす

○お夏々々《なつなつなつ》夏帷子《かたびら》を／何に染めよか清十郎に問えば／浅黄に駒形　紅鹿子《くれないかのこ》

○思ひ思われ梅ケ枝《え》源太／女郎の文《ふみ》書くかけ硯箱／遣《や》りゃんせ堀川の手代衆に

○僧正遍昭歌よみなれば／雲の通い路吹く風とめて／しばしとどめよ乙女の姿

○空やは水か水やは空か／見わかぬかたに漂うは／かよひてすめる月の影

○安部の保名《やすな》はさかけのわかれ／さかきょたずねて信太《しのだ》の森に／さかけ花こそ血の薬

七　衣装

あくまで盆踊りなので、踊り手が思い思いの格好で踊りに参加できることは言うまでもない。以前は、女装した男性やひょうきんな姿の仮装などで周囲を楽しませる人もいたが、最近はごくまれになった。

その一方で、保存会が定めている「正装」があり、その内容は本稿冒頭に引用した冊子の説明のとおりだが、いくつか補足をしておきたい。

まず、覆面のような黒頭巾は、「御高祖《おこそ》頭巾」と呼ばれる。また、頭巾の上から締める白い鉢巻は普通のものよりも長く、筆者が親から引き継いで使っている鉢巻は二一六㎝だ。また、鉢巻、団扇、浴衣には亀井家の家紋がデザインされている。さらに、浴衣の両袖口には二つずつ鈴が付いているが、その理由としては、戦勝の由来譚によって、兵士が衣装の下に着けている鎧兜の金属音をカモフラージュするためだとか、暗闇の中で敵味方を判別する一種の合言葉代わりだった、といった説明がなされている。

前出の、『津和野百景図』の「九十九図盆踊」と『横堀盆踊絵図』を見ると、頭巾、鉢巻、団扇については、現在とほぼ同じ状態が描かれているが、なぜか現在の「正装」である浴衣やももひきを着ている人は見えない。ひょっとすると、浴衣やももひきは、後年、津和野の外で公演する機会を得たときに、別にデザイン・新調したものかもしれないが、詳細は分かっていない。

また、絵図以外に、文章によって津和野踊りの衣装などの様子を描写したものもある。明治から昭和にかけて活躍した木村晩翠（一八七三〜一九五九）という浜田の郷土史家が昭和三年に新聞連載した随筆「石見物語」の中にある「郷土色豊かな津和野踊の由来」がそれだ。引用は『随筆石見物語』（昭和七年十一月　東京島根評論社刊）からとし、読み易さを考慮して旧漢字を新漢字に改め、ルビは適宜省略、仮名遣いは原文のままとした。

端麗《たんれい》百合《ゆり》の様な津和野娘が、同じ姿の意気な若衆《わかしゅ》と相連れて、さんざんと照る閑《しづ》かな月明の夜《よ》に、ザラツザラツと揃ふ駒下駄の音、打ち翳《かざ》す振袖のしなやかさ、観飽《みあ》かぬ、夏の夜の歓楽《くわんらく》、それは真に妖艶《えふえん》嬌麗《きやうれい》の限りである。乃ち五人以上の踊子は浴衣に黒の帯を締め、黒のお高祖《こそ》頭巾を被《かむ》り、白鉢巻をなし右側《ママ》頭部に団扇を挿挟《さしはさ》み、黒の鼻緒《はなを》下駄に白足袋《たび》の装《よそほ》ひ、楽手は大太鼓一人横笛二人三味線二人が、一間半四方高さ一間の屋台に幕を張り、其中にて此屋台を取り巻く踊り子の調子《てふし》を取るのである。

木村は名文家として名高く、とても情緒豊かな表現で昭和初期の津和野踊りをいきいきと描いているが、一方で、現在の正装にある「ももひき」は描写されていないほか、団扇を右側に差すとあるなど（現在は左）、現在との違いもみられる。当時はこの随筆のとおりだったのか、それとも木村晩翠の記憶誤りなのか、それはわからないが、この衣装で最も特徴的な黒頭巾姿は、幕末期の絵図にも、木村が随筆に記録した昭和初期にも、現在のものとほぼ同じ姿で存在していたことが確認できる。

八　津和野踊りにそっくりな西馬音内の黒頭巾

津和野踊りのように、頭巾で顔をほとんど覆って踊る盆踊りは、実は全国にいくつか見られる。中でも秋田県の西馬音内《にしもない》盆踊り（国の重要無形民俗文化財で日本三大盆踊りのひとつ。ほかの二つは、岐阜県の郡上おどり、徳島県の阿波おどり）や沖縄県の八重山諸島の盆踊りが有名だ。特に、西馬音内盆踊りと津和野踊りとの関連性について、沖本は「そのための系譜を辿ろうとする専門的な研究なども進められることであろう」（前掲「津和野踊りについて」）と、遠まわしな表現ながら、その研究の必要性を示している。ここで沖本が言う「そのための系譜」とは、もちろん「二つの踊りに共通する黒覆面を介して」という意味である。西馬音内の頭巾は「彦三《ひこさ》頭巾」と称し、袋状の黒い布をすっぽりと被り、両目の部分だけに穴を開けた形である。津和野の「御高祖頭巾」とは異なるが、どちらもその上から白い鉢巻を締めることもあり、見た目の印象はとても近い。

また、論文では詳しく触れていないが、沖本が西馬音内と津和野の関連性に強い関心を示していたのには、次のような理由もある。戦国末期に西馬音内地方を治めていた横手城主・小野寺遠江守義道（一五六六〜一六四六）は、関ケ原の戦いで東軍から西軍に寝返ったために、家康によって改易され、津和野藩に預けられた。亀井氏は義道を重臣として丁重に扱い、以後八〇歳で没するまで四〇年以上津和野で過ごしている。また、その後も小野寺氏は津和野藩内で代を継ぎ、現在でもその末裔が津和野に在住している。沖本は、このように、津和野と西馬音内には歴史上の深いつながりがあることを意識していて、その方面からも同じ覆面盆踊りをもつ津和野と西馬音内の関連性について研究すべきだと考えていたと思われる。沖本が論文で「鹿野移植説」に懐疑的である一因はここにもある。筆者は、沖本本人と面識があり、実際に沖本は論文よりはるかに強いトーンでそのことを強調していたことを思い出す。

九　山中鹿介と柳まいり

津和野町後田の新町《しんちょう》通りにある小さな観音堂は、亀井氏始祖新十郎茲矩の義兄にあたる山中鹿介幸盛《しかのすけゆきもり》の菩提寺「幸盛寺《こうせい》」の境内にあった御堂で、「祐円庵《ゆうえん》」と呼ばれた。

茲矩と幸盛は、共に出雲の武将尼子氏の家臣として戦国時代に名を馳せた武人である。幸盛は、のちに茲矩の養父となる亀井秀綱の娘と結婚して一旦亀井氏を継いだが、山中氏を継いでいた幸盛の兄の早世によって山中氏に復した。一方、茲矩は、湯氏に生まれ、幸盛の義妹と結婚して亀井氏に入った。一二歳違いの幸盛と茲矩は、このように非常に密接な関係にあり、主君尼子氏が毛利氏に滅ぼされたのちも、共に尼子氏再興を夢見て奮闘する。幸盛が戦死したのち、尼子氏再興の夢は茲矩の双肩にかかり孤軍奮闘するも、再興が叶うことはなかった。

山中鹿介幸盛にちなむ寺名をもつ「幸盛寺」は、現在の新町通りにあったが、火災によって全焼し、のちに信盛寺（現在の光明寺）に合併された。しかし観音堂は新町に残り、以来、地元新町の人々によって大切に保護され、現在でも手厚く信仰されている。

この観音堂には、旧藩時代から旧暦七月十日の夕刻、「千日まいり」と称して、菩提追悼のために人々が柳の小枝を持っておまいりをする風習があった。「千日まいり」とは、ある特定の日を定めてその日に社寺におまいりをすると、千日間の参詣と同じ功徳が得られるという考え方で、「千日もうで」ともいい、京都清水寺（七月十日）、江戸浅草寺（七月十日）、大坂四天王寺（七月二十四日）などが有名である。新町観音堂の「柳の小枝」の意味や由来は不明だが、この「千日まいり」のときに盆踊りを踊る風習があり、それが「柳まいり」として定着し、以後、現在まで連綿と伝えられている。現在は月遅れの八月十日の夜、新町通りの観音堂前で「柳まいり」の津和野踊りが行われるが、これがその年の津和野地方での踊り始めとされている。なお、この山中鹿介にちなむ逸話は、津和野踊りの「鹿野移植説」にとって有利だ。

一〇　森鷗外の描いた津和野踊り

前述したとおり、津和野出身の文豪・森鷗外は、幼い頃に生家の近くで津和野踊り見物を体験しており、それを小説『ヰタ・セクスアリス』で詳しく描写している。この作品は、金井湛《しずか》という名前の哲学者を主人公とした小説だが、自伝的要素が強く、金井は鷗外自身であり、津和野部分の描写はほぼ事実に即した描写であることが知られている。また、現役のエリート軍医が自らの性欲史を描いた作品ということで、当時大きな話題と批判を集め、掲載雑誌が発禁処分を受けたため、単行本は刊行されていない。また、この作品は、鷗外の作品の中で津和野に関する描写が最も充実しているものでもある。以下、津和野踊りについて描写した部分を岩波版『鷗外全集第五巻』から引用する。

その歳の秋であった。／僕の国は盆踊の盛な国であった。旧暦の盂蘭盆《うらぼん》が近づいて来ると、今年は踊が禁ぜられるそうだという噂があった。しかし県庁で他所産《たしょうまれ》の知事さんが、僕の国のものに逆うのは好くないというので、黙許するという事になった。／内から二三丁ばかり先は町である。そこに屋台が掛かっていて、夕方になると、踊の囃子をするのが内へ聞える。／踊を見に往《い》っても好いかと、お母様に聞くと、早く戻るなら、往っても好いということであった。そこで草履を穿《は》いて駈け出した。／これまでも度々見に往ったことがある。もっと小さい時にはお母様が連れて行って見せて下すった。踊るものは、表向は町のものばかりというのであるが、皆頭巾で顔を隠して踊るのであるから、侍の子が沢山踊りに行く。中には男で女装したのもある。女で男装したのもある。頭巾を着ないものは百眼《ひゃくまなこ》というものを掛けている。西洋でするCarnevalは一月で、季節は違うが、人間は自然に同じような事を工夫し出すものである。西洋にも、収穫の時の踊は別にあるが、その方には仮面を被ることはないようである。／大勢が輪になって踊る。覆面をして踊りに来て、立って見ているものもある。見ていて、気に入った踊手のいる処へ、いつでも割り込むことが出来るのである。／僕は踊を見ているうちに、覆面の連中の話をするのがふいと耳に入った。識《し》りあいの男二人と見える。／「あんたあゆうべ愛宕の山へ行きんさったろうがの」／「嘘を言いんさんな」／「いいや。何でも行きんさったちゅう事じゃ」／こういうような問答をしていると、今一人の男が側から口を出した。／「あそこにゃあ、朝行って見ると、いろいろな物が落ちておるげな」／跡は笑声になった。僕は穢《きたな》い物に障《さわ》ったような心持がして、踊を見るのを止めて、内へ帰った。（以下略）

この描写の中で、「今年は踊が禁ぜられる」とは、盆踊りに伴う性風俗の乱れを懸念した県庁が取り締まろうとしたことだと考えられるし、ほかにも「皆頭巾で顔を隠して」とか「男で女装」とか「女で男装」とか「見ていて気に入った踊手のいる処へ割り込む」とかいった描写は、前述した、盆踊りがもつ「性的解放感」を匂わせる。特に後半部分には、子供の鷗外でさえ「穢い物に障った」ように感ずるほど直接的な大人の「性的」やりとりが描写されている。

また、前出の『横堀盆踊絵図』の「横堀」とは、鷗外生家の所在地の地名である。つまり、鷗外が目にして小説に描写した盆踊りと同じ地域の盆踊りを絵に描いたのが、この『横堀盆踊絵図』である。これはまったくの偶然だが、鷗外の文章を読みながらこの絵図を見ていると、この絵図の解説をしているような錯覚に陥るほど、両者はシンクロしている。

一一　現在の津和野踊りと四〇〇年目の区切り

津和野踊りは、毎年八月十日の「柳まいり」を皮切りとして町内各所の盆踊りの会で踊られ、十五日の夜の殿町での盆踊りをメインとしている。平成二十七年までは、その締めくくりとして同月二十日に津和野川で行なわれる「灯篭流し」に華をそえて、その年の踊り納めとしていたが、平成二十八年からは「灯篭流し」が十五日に実施されるようになり、十五日の「殿町盆踊り」がより賑やかになった反面、二十日の踊りはなくなった。また、平成二十九（二〇一七）年は、亀井氏の津和野入城（一六一七年）からちょうど四〇〇年目にあたり、「鹿野移植説」に基づけば、津和野踊りも伝来四〇〇年目となる。保存会では、この年の八月十五日の盆踊りに「四〇〇年目に四〇〇人の踊りの輪を」のスローガンを掲げて（近年の平均的な踊り手の人数は六〇～七〇人なので四〇〇人は厳しい目標値）、一年以上前から宣伝活動や衣装類の新調事業に取り組んだほか、練習会も平年の三～四倍の回数を実施するなど、入念な準備に努めた。その結果、平成二十九年八月十日の柳まいりには平年の三～四倍の数の踊り手が新町通りに溢れ、同十五日の殿町盆踊りでは、目標の四〇〇人を大きく上回る約五〇〇人の踊り手が町の内外から集結し、地元の古老からも「今まで見たことがない」という声が出るほどの大きな踊りの輪で四〇〇年目を祝うことができた。

一二　津和野踊りの未来

こうして、四〇〇年目のキャンペーンは大成功を収めたが、津和野の宝である津和野踊りにとって本当の正念場は、今後「四〇〇年四〇〇人」の勢いをどうつなげていくかだと思う。

四〇〇年の前年である平成二十八年までは、踊る人が年々減少していた。この踊りは、まったく知らない人が

「見様見真似」で覚えるには少し難しいようで、それもひとつの原因かもしれない。また、古くから踊ってきた人も高齢化によって徐々に参加できなくなってきたことに加えて、若い人への継承が不十分で、新しい踊り手が育っていないことも減少の大きな要因になっている。しかし、昔から「踊らにゃ、そんそん」と言われるように、盆踊りは、上手に踊って見せるものでも、人が踊るのを鑑賞するものでもなく、「うまい・へた」に関係なく、自らが輪に入って踊ることに意味があるものだと思う。なぜなら、「盆踊り」は、踊りながらご先祖様を偲ぶ心が一番大切だからだ。そして、ご先祖様が踊っている我々の姿を空の上から見ておられる、と感じるその心性こそが、日本人にとっての「盆踊り」の原点ではないだろうか。筆者は、その点を強調する意味で、津和野踊りを「踊る座禅」と表現することもある。

また、津和野には国の重要無形民俗文化財である「鷺舞神事」があるし、石見地方一帯で盛んな「石見神楽」も、町内で四社中が活動するなど活発に演じられている。鷺舞や石見神楽は、一定の修練を積んだ方々によって踊り（舞）が伝承されていくものだが、一方で津和野踊りの伝承を担うのは、年に一回しか踊らないかもしれない一般の方々しかいないのである。そこが、舞う側と観る側がはっきり分かれている鷺舞や石見神楽と、踊り手と観る人が一体化している津和野踊りとの大きな違いである。そのことを踏まえて、保存会では、四〇〇年の成功を糧としながらも、さらに危機感を持って、多くの方の意見を参考にして工夫を図りながら、貴重な津和野踊りを守り、さらに発展させていきたい。

その工夫の具体的なものとしては、次のようなことが考えられると思う。まず、観光の町である津和野にあって、先にも述べた鷺舞や石見神楽とともに、観光資源としての重要度がますます高まってきているので、津和野の貴重な文化を多くの人々に体験していただけるしくみづくりに、保存会としても積極的に貢献していきたいと考えている。特に、津和野踊りは武士の文化を色濃くもつ盆踊りであり、外国の方から「ニンジャ・ダンス」と呼ばれて人気が出る傾向にあるので、観光のグローバル化には一定の役割を果たせるとの手ごたえを感じている。そして、最も重要かつ難しい後継者問題については、津和野高校とのコラボ事業の推進によって、一定の目途が立ちつつあると感じている。津和野高校では平成二十九年（二〇一七）から体育祭に津和野踊りを取り入れていただき、全校生徒による総踊りと色別対抗コンクールが実施されている。もちろん、保存会員総出で事前指導や審査にあたり、高齢者の多い会員と若い高校生たちとの交流も始まっている。今後は、これをさらに拡充して、津和野高校の魅力化に大きな役割を果たしている「グローカル・ラボ」というクラブ活動との協働や、「津和野踊りクラブ」あるいは「伝統芸能クラブ」の設立なども視野に入れたいと考え、すでに少しずつ高校側との協議も始まっている。

【参考・引用文献】

津和野踊り保存会編『津和野盆踊りの由来と踊り方』小冊子、津和野踊り保存会、二〇〇二年
沖本常吉「津和野踊りについて」『民俗芸能・通巻三十三号・特集夏の風流』雑誌、民俗芸能の会、一九六八年
津和野町教育委員会編『津和野百景図』津和野町郷土館、二〇一〇年
浅野建二校注『新訂閑吟集』岩波文庫、一九八九年
小山弘志編『日本古典文学大系四十二狂言集上』岩波書店、一九六〇年
『鷗外全集』第五巻、岩波書店、一九七二年
田山花袋『田舎教師』岩波文庫、二〇一八年
小寺融吉『郷土舞踊と盆踊』桃蹊書房、一九四一年
下川耿史『盆踊り　乱交の民俗学』作品社、二〇一一年
和歌森太郎編『西石見の民俗』吉川弘文館、一九六二年
矢富厳夫『津和野ものがたり５　鷺舞と津和野踊り』津和野町教育委員会、二〇〇一年
大庭良美『石見日原村歌謡集　水まさ雲』石見郷土研究懇話会、一九七六年
木村晩翠『随筆石見物語』東京島根評論社、一九三二年
沖本常吉編著『津和野町史』第二巻、津和野町、一九七六年
津和野町教育委員会編『鷗外　津和野への回想』津和野町郷土館、一九九三年
津和野町教育委員会編『津和野藩主亀井家の４００年』３巻連携特別展図録、亀井家入城４００年記念事業実行委員会、二〇一七年
山岡浩二『津和野をつづる　生粋の津和野人による津和野覚書』モルフプランニング、二〇一四年

出雲地方の盆踊り歌あれこれ

永井　猛

盆踊りの歴史は知られているようで意外と知られていない。その歴史をたどっていくと、なぜ仮装して踊ったりするのか、なぜ傘をさして歌ったりするのかなどの疑問がとけていく。盆踊りは地域ごとに特色がある。出雲地方にも独特の盆踊りが伝えられている。それぞれの盆踊りの違いについて、歌に注目して、出雲地方に古くから伝わる盆踊りのあれこれを紹介してみたい。

ながい・たけし
米子工業高等専門学校名誉教授。昭和二十五年（一九五〇）島根県生まれ。法政大学大学院。博士（文学）。専門は能・狂言を中心とした芸能史研究。
【著書・論文】『狂言七十番』（共著、勉誠出版、二〇一四年）、「麒麟獅子舞の生まれた文化的背景」（『因幡の麒麟獅子舞」調査報告書』二〇一八年）、「新出 鷺流狂言『宝暦名女川本』の離れについて」（『能楽研究』第四十四号、二〇二〇年）。

一　盆踊りの始まり

盂蘭盆会《うらぼんえ》、いわゆる「お盆」は、新暦では八月、旧暦では七月の十五日を中心に、先祖や無縁の霊を迎え、もてなし、そして送る行事である。その「お盆」に踊られるのが盆踊りである。

盆踊りは最も身近な芸能だが、そもそも盆と踊りが結びついたのはいつからだろうか。なぜ、盆に踊りが踊られるのだろうか。

清水克行氏の『大飢饉、室町時代を襲う！』（二〇〇八年、吉川弘文館）によれば、盆と踊りが結びついたのは、室町時代の中頃、十五世紀のことらしい。

室町時代で最も政治的にも経済的にも安定していた応永年間の後期に、突如として大飢饉が起こり、人々は一気に恐怖のどん底に突き落とされた。いたるところ餓死者であふれ、それに疫病が追い打ちをかけた。この大災害は、応永二十七（一四二〇）年、二十八年と続いた。

疫病が沈静化し始めた応永二十八年五月、京都伏見の即成院《そくじょういん》という寺院で百万遍念仏《ひゃくまんべんねんぶつ》が行われた。二〇〇〇人以上の人が集まり、死者供養と疫病退散を願って全員で百万回になるように「南無阿弥陀仏」を唱えた。六月、七月、八月にもあった。翌年からは毎月十六日に三、四〇〇人が参加して追善供養と死者鎮魂のための月次念仏《つきなみねんぶつ》が始まった。

永享三（一四三一）年には、月次念仏にかわり即成院で盆の七月十五・十六日に「念仏踊り」が行われるようになっていた。これが盆と踊りが結びついた最初の記録である。つまり、今に続く盆踊りの始まりである。

ただ、このことを伝える『看聞日記《かんもんにっき》』は応永三十三年から永享二年までの五年間、七月の記事を欠き、この間の変化は不明である。永享三年七月十五日の記録に「念仏躍（り）例の如し」とあるので、数年前から踊られていたようである。「踊り」ではなく「躍《おど》り」の文字が当てられていることから、躍動的な激しい動作をともなうものだったらしい。

「念仏踊り」は、平安時代に空也《くうや》（九七二年没）が始め、鎌倉時代に一遍《いっぺん》（一二八九年没）が広めた「踊り念仏」をもととして、宗教色よりも芸能色を強め、念仏より踊りが主体となったものである。

永享四（一四三二）年七月十六日の記録には、念仏を唱えながら囃子にのった若者たちが「異形風情《いぎょうふぜい》（普通とは違う扮装）」で「跳《おど》」ったとある。「跳」の字が使われていることから、飛び跳ねるような動作だったらしい。

山路興造氏の『近世の胎動』（二〇一〇年、八木書店）によれば、これは「念仏拍子物《はやしもの》」と呼ばれ、「念仏踊り」と当時盛んになった「風流《ふりゅう》の拍子物《はやしもの》」とが結びついたものという。

「風流（ふりゅう）」とは、意匠《いしょう》をこらした趣向を意味し、造り物や衣装で人目を驚かすものである。

「風流の拍子物」は、山車《だし》、または華麗な大笠（風流傘）とか鉾《ほこ》を中心にして、仮装した集団が鉦《かね》・太鼓・笛などの囃子で移動し、要所で芸を披露した。仮装には布袋・大黒・恵比須・毘沙門、九郎判官奥州下向の様子、朝比奈の門破りの様子、鷺舞などがあった。

これに、「念仏踊り」が加わったのが「念仏拍子物」である。この「念仏拍子物」に、当時流行の小歌で踊る「小歌踊り」が取り込まれ、振りも統一された集団の踊りとなると、「風流《ふりゅう》踊り」と呼ばれるものになっていく。

二　盆の踊りとして「風流踊り」

応仁の乱（一四六七〜七七）で主戦場となった京都から離れて、奈良では盆の芸能が盛んに行われていた。文明元（一四六九）年には禁止令が出されるほどだった。ただ、奈良の南の古市《ふるいち》郷では盛んに踊られていた。七月十七日には、二〇人ばかりの者が紙で美しく飾った桶を担いで踊っている。

文明三（一四七一）年七月十九日には、頭に灯籠を戴いた踊り子二〇人の風流踊りがあった（『経覚私要鈔《きょうかくしようしょう》』）。盆の踊りとして風流踊りが恒例となってくる。

大永元（一五二一）年には七月十四日から二十日までの七日間、奈良で踊りがあった。二十日には春日若宮の神主の館で小袖を腰巻きにした四〇人ほどの踊り手が「薩摩踊り」「西行桜」「新発意《しんぼち》太鼓」「五位鷺」など、曲名のある風流踊りを踊っている（『春日社司祐維記《かすがしゃしすけつなき》』）。

戦乱がしずまった京都でも、風流踊りは大流行する。

天文十二（一五四三）年の七月十五日から二十日にかけて、大坂でも「竹枝躍り」「龍田躍り」「花笠躍り」「雪躍り」、新作の「松躍り」などが踊られている。また、夷・大黒の仮装も出ている（『天文日記』）。

この後も風流踊りは盛んになって、豊臣秀吉の七回忌にあたる慶長九（一六〇四）年八月に行われた豊国《とよくに》大明神臨時祭礼の最高潮を彩っている。

その様子を伝える「豊国《ほうこく》祭礼図屏風」（豊国《とよくに》神社蔵）には、衣装や振りをそろえた踊り手が輪踊りをしている。輪踊りを取り囲むように棒を持った警護の者たちが輪をなして腰を下ろしている。その二重の輪の中には風流傘が立てられ、その前で思い思いの仮装をした踊り手が太鼓、笛、小鼓などを打ち鳴らして自由な振りで踊っている。この図のように外側の輪踊り（側《がわ》踊り）と輪の中の踊り（中踊り）がある形が「風流踊り」の完成された形である。

風流踊り（「豊国祭礼図屏風」左隻部分　豊国神社蔵）

この祭礼の前年、京都では出雲の巫女《みこ》と称するお国の「歌舞伎踊り」が評判

を呼んでいた。

三　出雲のお国の「念仏踊り」

慶長八（一六〇三）年は徳川家康が江戸幕府を開いた年であり、史料に始めて「歌舞伎踊り」という言葉が登場する年である（『慶長日件録』）。

「かぶき」とは、普通とは違う異様な身なりをする「傾《かぶ》く」から来た語である。お国も「念仏踊り」を踊ったという。ただ、かなり傾いた「念仏踊り」だったようだ。『東海道名所記』によると、塗り笠をかぶり、紅《くれない》の腰蓑《こしみの》をつけ、小さな鉦《かね》を首にかけて踊ったという。あざやかな赤い腰蓑で踊るという意表をついた姿で、その妖艶さに観客は魅了されたに違いない。

それでは、お国の念仏踊りの歌は、どういう内容だったのだろうか。『国女歌舞妓絵詞《くにじょかぶきえことば》』から適宜漢字を当てて紹介してみる。歌の調子が分かるように、音数を下に書いておく。

光明遍照《こうみょうへんじょう》　十方世界《じっぽうせかい》　8 7
念仏衆生《しゅじょう》　摂取不捨《せっしゅふしゃ》　7 5
南無阿弥陀仏　南無阿弥陀　7 5
南無阿弥陀仏　南無阿弥陀　7 5
はかなしや　5
鉤《かぎ》にかけては　何かせん　7 5
心にかけよ　弥陀の名号《みょうごう》　7 7
南無阿弥陀仏　南無阿弥陀　7 5
南無阿弥陀仏　南無阿弥陀　7 5

音数は、「なむあみだぶつ　なむあみだ」の七五調が中心である。念仏を唱えつつ、途中で五七五七七の和歌をはさむ。「南無阿弥陀仏」の名号は、「鉤にひっかけておくだけでは何の役にも立ちませんよ、心にかけなさい、ああ、もったいない」と観客をくすぐるのである。

一般に、「念仏踊り」は念仏が主体となるので、「なむあみだぶつ　なむあみだ」の七五調か、「なむあみだぶつ　なむあみだぶつ」の七七調かになることが多い。この調子は、盆踊りにも受け継がれ、現代まで脈々と続いているのである。

四　風流踊りの地方への広がり

慶長九年の豊国神社祭礼で、空前の盛り上がりを見せた「風流踊り」も、それ以後、京の町からは姿を消す。

都では踊られなくなったが、西日本を中心に各地へ広まっていった。ただ、中踊りと側踊りの両方がそろっているものは少ない。

中踊りは、派手な服装で太鼓などを打つ「太鼓踊り」「かしら打ち」「がく打ち」「鞨鼓《かっこ》踊り」「かんこ踊り」などとして伝わった。雨乞いとか、虫送り、祭礼の時に囃され、今でも踊られている。

側踊りの輪踊りは、各地の盆踊りとして継承されていく。歌われる歌も、その時々の流行しているものが使われ、振りなども時代と共に変化していった。

盆踊り歌として、江戸時代になって広まった七七七五音で完結する短い歌が歌われ出す。

また、江戸時代の中頃から物語を七七七七…と続く七七調とか、七五七五…と続く七五調で長々と語る「くどき（口説）」が流行ると、この「くどき」でも踊られるようになる。

五　出雲地方の盆踊り

江戸時代の出雲地方で、どのような盆踊りが踊られていたのか、史料がなくて詳しくは分かっていない。

明治になって、ラフカディオ・ハーン（ヘルン、小泉八雲）が、大社の盆踊りについて「杵築雑記」（平井呈一訳『日本瞥見記』）に詳細に書き留め、これによって、初めて様子が分かるのである。

（一）ハーンの見た大社の盆踊り（豊年踊り）

ハーンの妻・小泉節子（セツ）の『思い出の記』によると、明治二十四（一八九一）年夏のことであった。

ハーンは松江中学で親しかった教頭の西田千太郎と出雲に行った。西田の知人であった千家尊紀《たかのり》宮司は、ハーンの日本好きのことを知っていて、たいそう優待した。ハーンの「盆踊りが見たい」との申し出に、時期が少し早かったが、わざわざ何百人という人を集めて踊りを見せてくれたという。

『思い出の記』には、ハーンが「この踊りはあまり陽気で、盆踊りではない、豊年踊りだ」と言ったとあり、ハーン自身も「杵築雑記」に、盆踊りではなく「豊年踊り」と記している。

夜八時、一〇〇個の提灯のもと、何千という群衆が集まった。蓑を着た百姓、松茸のような笠をかぶった者、女の着物を着たり、巡査の白服を着たりなどの仮装をした者、着飾った娘達、仕事着のままの職人たちと、思い思いの姿で集まっている。

この群衆の真ん中に、大きな米臼が一つ、逆さに伏せてある。やがて、わらじをはいた一人の百姓が、その上に身軽にひょいと飛び上がって、つっ立った。頭の上に和傘をひろげ、宮司の合図で、いい声で歌い出した。彼が今夜の音頭取りで、臼の上で傘をさしたままゆっくりとまわりながら歌う。歌の二節ずつの終わりの所で、一定の間をとる。それに応じて、群衆が「や　は　と　ない！　や　は　と　ない！」と陽気な掛け声を入れる。

五〇〇人の踊り手は大きな二重の輪になり、手も足も歌の拍子にのりながら、輪は右から左へとぐるぐる廻る。音頭取りは、米臼の上で廻りながら、歌い続けていく。

一は出雲の　大社さまへ
二には新潟の　色神さまへ
三は讃岐の　金比羅さまへ
四には信濃の　善光寺さまへ
五つ一畑　お薬師さまへ

ハーンは、時の経つのも忘れて見ていた。気がつくと午前三時前だったという。

音頭取りが和傘を広げて持ったり、踊り手が仮装したり、大きな輪になって揃いの振りで踊ったりと、「豊国祭礼図屏風」で見た風流踊りの特徴を驚くほど受け継いでいるのである。

ハーンが聞いた盆踊り歌は、「盆くどき集（増補版）」（『大社の史話』臨時増刊号、一九八一年）に収録されている「新潟汐浜娘くどき」であった。

新潟汐浜《にがたしおはま》　問屋の娘　７７
姉が二十一　妹が二十《はたち》　７７
姉にゃ少しも　望みはないが　７７
妹《いもと》ほしさに　大願かける　７７
一に一畑　お薬師様よ　７７
二には新潟の　色神様よ　７７

音数が七七七七…と続く「くどき（口説）」である。

この歌の最後は、

十で所の　氏神様よ　７７
それで願いが　かなわぬ時は　７７
新潟汐浜　問屋の前の　７７
川に身を投げ　大蛇《だいじゃ》となりて　７７
家内残らず　皆取りたやす　７７

つまり、問屋の娘に添わせてくれなければ大蛇となるから、願いをかなえてくれという恋に狂う男の歌である。

この続きに「関の五本松節」とあって、「関と御崎に灯台あれど　恋の闇路は照らしゃせぬ」の歌詞が書いてある。歌の内容が暗くなったところを、曲自体をがらっと変えて気分転換し、うまくまとめるのである。

「盆くどき集」には、かつて大社で歌われていた盆踊り歌が「八百屋お七吉三くどき」「鈴木主水《もんど》白糸くどき」「石童丸刈萱《いしどうまるかるかや》くどき」「お吉静三くどき」「平井権八くどき」など一六曲収められている。その中に、「前につける歌」と注記された「豊年くどき」が記されている。掛け声をカタカナにして紹介してみる。

アアヨホホエ　アア　ドッコイ　ドッコイ
ちょっとやりましょうや　豊年くどき　８７
今年豊年　穂に穂がさがる　７７
道の小草も　黄金がなりて　７７
ハア　ヤンハトナイ　ヨヤマカセ（以下略）

この「豊年くどき」はどの歌を歌う時も最初に歌われ、ハーンが「盆踊りではない、豊年踊りだ」と言ったのもここからくるのであろう。

『日本民謡大事典』（一九八三年、雄山閣出版）には、「豊年踊り」について、秋の収穫感謝祭に行われるものが多いが、豊年の見通しもつく盆の前後の村祭りの宵宮などにも催され、「今年ァ豊年だよ　穂に穂が咲いて道の小草に　銭がなる」などの文句を連ね、その地方の盆踊りを踊ることが多いと記されている。ハーンの言った通り「豊年踊り」だったようである。「豊年踊り」の時には「豊年くどき」が各歌の前につけられたのであろう。多くの人が集まったのも、「豊年踊り」だったからとすれば納得がいくのである。

ただ、内容は盆踊りと変わらなかったはずである。ハーンには、一年前に見た伯耆の上市《うわいち》（鳥取県西伯郡大山町）での静かな盆踊りが頭にあり、その違いにとまどったのであろう。

人の多さ、にぎやかさ、そして、「や　は　と　ない！」という掛け声が、大社の盆踊りを陽気な踊りだと印象づけたようである。

（二）出雲地方の盆踊りの種類

①ヤンハトナ系盆踊り

ハーンの聞いた「や　は　と　ない！」という掛け声は、今でも出雲地方で広く聞かれる。場所ごとに曲名が

ヤンハトナ系盆踊り分布図

変わったり、「ヤンハトナイ」とか「ヤーハトナー」とかの多少の違いはあるが、これらを「ヤンハトナ系盆踊り」として、以下述べていく。

まず、出雲大社に近い荒茅《あらかや》盆踊りから紹介してみたい。

◎荒茅盆踊り（出雲市荒茅町）

荒茅盆踊りは、出雲のお国が伝えた「念仏踊り」に由来し、始まりは元禄（一六八八～一七〇四）の頃という。昭和七（一九三二）年に荒茅盆踊り保存会が作られ、市外から県外、さらには外国まで活動の範囲を広げている。各地の大会に出場して優秀な成績を収めている。

舞台発表の機会が多く、歌・踊り・囃子ともに洗練されている。太鼓、尺八、三味線の囃子で歌われる。

（アーラ　ヤンハトナーィ　ヤンハトナー）
アー　皆さま方へ　（アラ　ヨイヤセー）　7
アー　つとめまするは　荒茅音頭　77
（アーラ　ヤンハトナーィ　ヤンハトナー）
アー　荒茅音頭　（アラ　ヨイヤセー）　7
アー　出雲大社を　うしろに控え　77
（アーラ　ヤンハトナーィ　ヤンハトナー）
アー　うしろに控え　（アラ　ヨイヤセー）　7

七七調のくどきで、七七の後半の七を繰り返すのが特徴的である。この歌を「荒茅音頭」と言い、この音頭で三つの踊りが踊られる。チャリと呼ばれる派手な衣装に身を包んだ道化役（実は指揮担当）を先頭に踊り手が登場する。最初は「行進踊り」で、前進して踊りやすいように振り付けがされている。次に、「山崩し踊り」で、半回転の動作が入る輪踊り用の踊りである。最後が「雀踊り」で、両手を上から左右に振り下げながら退場していく踊りである。さらに、これらの踊りの途中に「関の五本松踊り」と「安来節どじょうすくい踊り」が入り、見ている者を飽きさせない。

踊りの名前に「山崩し」とあるが、阿部勝氏『島根民謡風土記』(一九八一年、山陰中央新報社)によると、かつて荒茅盆踊りに、次のような歌詞があったという。

(ハー　ヤーハトナー　ヤーハトナー)
ヤレ　山山崩せ(ドッコイセー)　7
山を崩して　田にしてみましょ　77
(ハー　ヤーハトナー　ヤーハトナー)
田にしてみましょ(ハ　ドッコイセー)　7
山を崩して　田にしてみましょ　77
(ハー　ヤーハトナー　ヤーハトナー)

これから、「山崩し踊り」と呼ばれたのであろう。「雀踊り」も独自の歌があったと思われるが、不明である。

◎羽根盆踊り「くどき」(出雲市斐川町三絡《みつがね》)

羽根盆踊りでも、「ヤンハトナイ」の掛け声で踊られているが、踊りは「くどき」と呼ばれている。

「山崩し」について言い伝えがあり、これは新節といわれ、新川開削の際、人夫を励ますため、松江藩家老の朝日丹波が作詞したという。新川開削は天保二(一八三一)年~天保七(一八三六)年である。

この言い伝えによると、まず「くどき」が古くからあり、それに天保の頃、「山崩し」の歌が加わったということになる。

出雲地方には「山崩し」と呼ぶ所が多いが、中には「山尽くし(山づくし)」と呼ぶ所もある。

出雲の「ヤンハトナ系盆踊り」は県境を越えて、鳥取県西部でも歌われている。

弓ヶ浜半島では、「かんど」とか「かんどくどき」と呼ばれ、広く踊られている。「かんど」と呼ばれるように、綿作りとか養蚕の手伝いに来た出雲の神門《かんど》の人たちによって伝えられたという。「かんどくどき」は弓ヶ浜の米子市大崎出身の民謡歌手の黒田幸子によって、昭和三十三(一九五八)年にレコード化されている。その際、「出雲音頭」と命名されて、全国へと広まった。ふき込まれたのは「かんどくどき」の中の「石童丸」である。

「ヤンハトナ系盆踊り」には七七調のほかに七五調もあるので、次に紹介しておく。

◎**八東町盆踊り「祭文（八百屋お七）」**（松江市八東町）

中海の大根島で行われる盆踊りに「祭文《さいもん》」と呼ばれる踊りがある。

（アラ　ヤンハトナー　ヤンハトナー）
敬《うやま》い申し　奉《たてまつ》る（ア　マイマイ）　７５
笛に寄るのが　秋の鹿　７５
（アラ　ヤンハトナー　ヤンハトナー）
つま故《ゆえ》身をば　焦《こ》がすなる（ア　マイマイ）　７５
江戸で五人の　三の筆　７５
（以下、囃し言葉省略）
色もかわさぬ　江戸桜　７５
盛りの花も　散らすげな　７５
八百屋の娘　お七こそ　７５
恋路の闇の　暗がりに　７５

七五調の「くどき」で、内容は「八百屋お七」である。恋人に会いたい一心で放火して処刑されるお七の物語が、太鼓に合わせて歌われていく。

「祭文」とは、もとは神前で述べる言葉だったが、江戸時代の中ごろには門付け芸人たちが三味線の伴奏で心中事件や犯罪事件などを歌って歩き、「歌祭文《うたざいもん》」と呼ばれるようになった。歌詞は七五調のくどきで、西日本を中心に広まり、浪花節の源流ともなった。

刷り物となって売られたが、「八百屋お七　哥さいもん」は、寛延二（一七四九）年に発行されている。歌祭文の最初は「敬って申し奉る」で始まるものが多いので、八東町の「八百屋お七」も歌祭文からきたものであろう。

②ヨーイヤナ系盆踊り

出雲地方の盆踊りの中で、長い物語を歌っていく「くどき」の囃し言葉には、「ヤンハトナ」の外に「ヨーイヤナ」とかけるものがある。これを「ヨーイヤナ系盆踊り」として、以下述べていく。

◎**八東町盆踊り「清三くどき」**（松江市八東町）

八東町では、古くからの盆踊りとして「祭文」と共に、「清三《せいざ》くどき」が踊られている。

（ハー　ヨーイ　ヨーイ　ヨーイヤナーア）
国は京都の　三条が町の（ア　コレワイセー）　７７
糸屋与右衛門　四代目の酒屋　７７
（ハー　ヨーイ　ヨーイ　ヨーイヤナーア）

七七調で糸屋の娘のお吉と手代の清三の悲恋物語が歌

ヨーイヤナ系盆踊り分布図

われていく。掛け声に特徴があり、ヨーイヤナ系盆踊りである。

　この「ヨーイ　ヨーイ　ヨーイヤナー」の掛け声を持つ盆踊りについて、美保関町福浦では阪神の地から伝わったとの言い伝えがある。江戸時代に松江藩の藩米を大坂の蔵屋敷に運ぶ千石船に乗り組んだ福浦の水夫によって伝えられた「兵庫音頭」だという。福浦では、「那須之与市（扇の的《まと》）」「海老屋の甚九《じんく》」が歌われていた（『出雲中海沿岸地域の民俗』一九七一年）。

　兵庫県南あわじ市沼島《ぬしま》の盆踊りでは「兵庫くどき」で「那須與市」が歌われている。掛け声も「アー　ヨーイ　ヨーイ　ヨーイヤサー」で、福浦の伝承を裏付けるのである。

　この「ヨーイ　ヨーイ　ヨーイヤナー」の掛け声のある盆踊りは、海路、出雲地方へもたらされたようだが、山手のほうには、これとは微妙に違うヨーイヤナ系盆踊りが伝えられている。

◎比田踊り「ばんばら」（安来市広瀬町西比田）

　比田《ひだ》の盆踊りでは、ヤンハトナ系の「山づくし」と交互に「ヨーホイ　ヨーホイ　ヨイヤーナー」の掛け声の「ばんばら」と呼ばれる踊りが踊られる。比田では、太鼓はなく、櫓の上の二人の歌い手と六、七人の囃し手によって、踊りが進行していく。歌い手には長柄の傘がさしかけられ、踊り手は仮装をしている。

　「ばんばら」は次のような調子である。

（ハー　ヨーホイ　ヨーホイ　ヨイヤーナー）
何をやろうか 何やりましょか（ヨーイヨーイ）　7 7
ここに一つの くどきがござる　7 7
（ハー　ヨーホイ　ヨーホイ　ヨイヤーナー）

白滝くどきを　とろとろやろか（ヨーイヨーイ）８７七七調のくどきで、当麻《たいま》の中将姫の妹の白滝と山田の治左衛門が歌の力で結ばれるという「白滝くどき」が歌われていく。

比田踊りの「ヨーホイ　ヨーホイ」とよく似た「ヨーオイ　ヨーオイ」とか「ヨンハイ　ヨンハイ」とかの掛け声の盆踊りが他にもあり、「ばんば」とか「ばんばら」などと呼ばれている。

比田踊り「ばんばら」とほぼ同じ掛け声の盆踊りが岡山県笠岡市白石島で歌い継がれている。「白石踊り」といわれ、歌詞は「石童丸」「阿波の鳴門」など多数ある。その中に「白滝くどき」と同内容の「山田の露」という七七調のくどきも伝えられている。「白石踊り」の掛け声は「イヤ　ヨーホエ　ヨーホエ　ヨーイヤネー」で、比田とほぼ一緒である。

「ばんば」「ばんばら」は出雲地方と鳥取県西部で踊られ、鳥取では横田（奥出雲町）から伝わったと言われている。山間部に多いので、瀬戸内側から陸路、出雲部にもたらされたのではなかろうか。

「ばんば踊り」は、大分、宮崎などにもあるが、掛け声が違う。また、岡山県久米郡の佛教寺にもあるが、雨乞い御礼踊りで、盆踊りとは雰囲気が違う。

「ばんば」の語源について諸説あるが、定説はない。

③こだいじ踊り

出雲地方の盆踊り歌には、ヤンハトナ系やヨーイヤナ系のように、七七や七五を繰り返す長い「くどき」のほかに、七七七五で完結する短い歌をいくつも歌い継いでいくものがある。よく知られたものには、「安来節」「関の五本松節」「しげさ節」などがある。

ここでは、かつて盛んに盆踊り歌として歌われていた「こだいじ」「茶町」「甚句」を紹介してみたい。いずれの踊りも、最近では踊る人が少なくなってきている。

「こだいじ踊り」は鳥取県西部から島根県東部にかけて踊られる

出雲地方の盆踊り歌

長詩形（くどき）	短詩形
7777…と続く77調 7575…と続く75調	7775で完結
①ヤンハトナ系 「本踊り」「山崩し」 「山づくし」「祭文」など ②ヨーイヤナ系 「平踊り」「平くどき」 「ばんば」「ばんばら」 など	③「こだいじ踊り」 ④「茶町踊り」 ⑤「甚句踊り」 ・・・・・・・・ 「安来節」「関の五本松」「しげさ節」

比田踊り「こだいじ」(平成18年)

こだいじ踊り分布図

古くからの踊りである。
　「こだいじ」とは、新潟県十日町市の新保広大寺《しんぼこうだいじ》という寺のことである。竹内勉氏の『じょんがらと越後瞽女《ごぜ》』(二〇〇二年、本阿弥書店)によれば、江戸時代、農民の土地争いが起き、一方についた寺に対し、反対派が和尚の悪口を歌に作って流行らせた。それが「新保広大寺節」で、文化・文政(一八〇四～三〇)頃に越後瞽女や遊芸人によって全国に広まり、津軽じょんがら節や八木節のもととなったと言われる。
　出雲地方でも「こだいず」と言われたり、「古代神」「古代寺」「古代寿」「小台寺」「小大事」などの漢字を当てられて歌い継がれている。

◎比田踊り「こだいじ」(安来市広瀬町西比田)

　比田踊りでは、「山づくし」「ばんばら」が交互に踊られ、最後に「こだいじ」が踊られる。

　サーヨーオーナーヨー　コリャ ヨーホエ　88
　いとしこだいじが 山に寺建てた
　(コリャサーイ)
　人も参らぬナー 戸もヨー開かぬナーヨー　75

　ゆっくりした調子で、歌い手ののどで聞かせる歌である。「こだいじ」を人名のように歌われているが、この「こだいじ」という言葉を歌い込んでいる歌詞は古いのである。

◎菅原の盆踊り「古代樹」(松江市宍道町菅原)

　菅原の盆踊りでも、「古代樹」という漢字が当てられ、次のように歌われている。

　ハー揃たナーアィヨーコリャナーイ揃たよ　7

踊り子が揃た　（コリャセイ）　7
稲の出穂より　なおよく揃たナーアイヨー　75

歌の調子が比田踊りと異なるが、昔の歌詞に「こだいじが腰に籠を下げて　前の小川でどじょうすくう」とか、「こだいじが山に寺建てて　寺のお庭で踊りする」などとあり、同じ「こだいじ」なのである。

新保広大寺節の特徴としては、一句目の最初三音の後や、歌の最後などを伸ばしたりする。出雲でも地域ごとに独自に変化していっており、いろいろな曲調になっている。

茶町踊り分布図

④茶町踊り

「茶町踊り」は、松江市玉湯町・美保関町、弓ヶ浜半島、鳥取県中部の東伯郡湯梨浜町橋津などで踊られている。

◎玉造盆踊り「茶町踊り」（松江市玉湯町玉造）

玉造では、新しい「玉造音頭」などとともに、「茶町踊り」と呼ばれる昔からの踊りが踊られている。

茶町ナー通いすりゃ（ハイ）　8
駒《こま》がのぅてならぬヨー（ハイハイ）　8
買うてナー乗りゃんせ　7
ヤンサー鹿毛《かげ》の駒《こま》ヨー（ハイサ　ハイハイ）　5

歌の初めに「茶町ナー」とある所から「茶町」と呼ばれているのだろう。この歌詞は字余り気味だが、ほかに「恵比須大黒　出雲の神よ　西と東の　守り神」などと歌われ、七七七五の音数が基本である。

玉造では、「玉造温泉盆踊り（茶町通い）」として平成元（一九八九）年にレコード化されている。

鳥取の橋津の「茶町踊り」は、古く「にがた踊り」と言われていた。そして、橋津では七七七五の最後の五音の前に「オワラ」と入ることから、「越中おわら節」系統と思われる。竹内勉氏の「海の道・唄の道　隠岐」（二〇〇五年、『しまねの古代文化』第一二号）に、「おわら」と歌うのは「越中おわら節」が元祖でなく、新潟市あたりで生まれたようだとある。とすれば、橋津の「にがた踊り」というのは、新潟の踊りという意味で、海路、橋津を初めとして美保関・境港などへもたらされたのであろう。

◎布志名踊り「勤王踊り」（松江市玉湯町布志名）

布志名では、盆ではなく、九月になってから踊られている。それには、次のような経緯があった。

明治三十四（一九〇一）年に原因不明の疫病がはやり、死者も出た。そこで、疫病退散に効験のある、雲南市大東町の東福寺の延命地蔵を九月八日に迎えて拝んだところ、病気は終息に向かった。それから九月八日に延命地蔵祭りを行うようになり、感謝の気持ちから盆踊りも併せて行われるようになった。平成二十一年からは九月の第一土曜日に開催されている。

踊りが踊られる前に、延命地蔵の前に大勢の人が輪になってすわり、長くて大きな数珠を皆で繰りながら、鉦《かね》の音に合わせて「南無地蔵大菩薩」と唱えていく。輪の中央にすわった人が鉦を打ちながら、ゆったりと「南無地蔵　大菩薩」と調子をかえて三度唱え、その後を皆で三度繰り返す。これがしばらく続く。

まるで、室町時代の盆踊りの発生当時を見ているような感じだった。

数珠繰りが終わると、踊りが始まる。布志名には、「こだいじ」「茶町」「八百屋お七」などが伝えられていたが、昭和十（一九三五）年頃、冨士名判官神社を県社に昇格させる運動が起こり、その一環として盆踊り歌の歌詞も新しく作られた。後醍醐天皇の隠岐脱出を助けた冨士名判官・佐々木義綱をたたえた歌詞をヤンハトナーの「八百屋お七」の節に乗せたのが「判官踊り」、「茶町踊り」に乗せたのが「勤王踊り」である。

「勤王踊り」として生まれ変わった「茶町踊り」を紹介しておく。

冨士名ナー山風　（アドッコイ）　7
千代までかけてヨー（アコラサーノサー）　7
あげしナー四つ目の（アドッコイ）　7
ヤンサー　旗じるしヨー（アコラサーノサー）5

布志名には、この外にも「甚句（じんく）」と呼ばれる踊りも以前は踊られていた。

⑤甚句踊り

「甚句」は「こだいじ」などと同様、古い踊りであるが、出雲地方では近年急速に姿を消しつつある。

「甚句」は江戸時代の終わり頃から流行して、秋田甚

甚句踊り分布図

句・越後甚句・相撲甚句など、それぞれに特徴のある曲調を生み出している。

◎布志名踊り「甚句」（松江市玉湯町布志名）

布志名でも、「甚句」は近年までは踊られていたが、今では踊られなくなっている。布志名踊り保存会所持のテープで、歌詞を書き留めておく。

甚句ナー踊らば　ア品《しな》よく踊れ　７７
（ア　ドッコイドッコイ）
品のナーよいのはアナント　サーこちの嫁　７５
（アラ　ドッコイドッコイ）

七七七五音の短詩形である。歌い出しに「甚句ナー」とあるところから「甚句」と呼ばれるのであろう。

歌詞は、「あの娘《こ》よい娘《こ》だ　ぼたもち顔だ　きな粉つけたら　なおよかろ」とか、「空の星さえ　夜遊びなさる　主《ぬし》の夜遊び　無理もない」などと歌われた。

「甚句」の語源について、竹内勉氏は『盆踊り唄　踊り念仏から阿波踊りまで』（二〇一四年、本阿弥書店）で、東北地方で「甚句」を古くは「じんこ」と言った所があったことから、順番に歌う「順番こ」が「順こ」、「じんこ」と変化して「じんく」になり、「甚句」の漢字を当てたのではないかと推定している。

◎河下盆踊り「河下甚句」（出雲市河下町）

河下盆踊りには、「ヨーイ　ヨーイ　ヨーイヤネ」の掛け声を持つ「平くどき」、「ヤンハトナー」の「山くどき」、「安来節」「関の五本松」と共に、「河下甚句」が踊られている。楽器は、鼕《どう》、尺八、三味線である。

（トコドッコイ　ドッコイ　ドッコイ）
甚句ナー踊らばヨー　品よく踊れー　７７
（トコドッコイ　ドッコイ　ドッコイ）
品のナーよいのがー　河下踊り　７７
（トコドッコイ　ドッコイ　ドッコイ）
さすがナー出雲のー　名所の中でー　７７
（トコドッコイ　ドッコイ　ドッコイ）

その名は－鰐淵ナー　浮浪のお山－　７７

歌い始めは布志名と同じだが、四句目が違う。布志名では「品のよいのは」の次を「こちのよめ」と五音で納めているところを、「かわしもおどり」と七音にして次に続けている。曲調が布志名の「甚句」と似ているので、古くは七七七五音の短詩形だったものを七七調の長詩形に変更したのであろう。

昭和の初めに盆踊り大会で優勝するために、従来の踊りを見直し、改変されたとのことで、その時に「甚句」も手直しされたのであろう。茶利（ちゃり）と呼ばれる道化を導入し、尺八、三味線も加えられたという。その甲斐あって、県内外の大会で幾度となく優勝している。

現在、舞台発表用には、最初に「河下甚句」、次に「平くどき」、さらに「山くどき」「安来節」と続け、最後に「河下甚句」でしめるという形で、「山くどき」の中に「関の五本松」も歌い込まれている。歌のつなぎもよく考えられ、「河下甚句」の両手を上から左右にながした後、左手を腰にあて、右手をてのひらを前に向けるようにして斜め前に伸ばすしぐさが印象的である。

なお、河下盆踊りではヨーイヤナ系を「平くどき」、ヤンハトナ系を「山くどき」と呼んでいるが、松江市鹿島町恵曇・古浦では、ヨーイヤナ系を「平踊り」、ヤンハトナ系を「本踊り」と言っている。

終わりに

以上、私の知り得た範囲で出雲地方の代表的な盆踊りについて述べてみた。各踊りの分布図も添えておいたが、既に踊られなくなった所も示している。調べ落としがあると思うがご寛容いただきたい。

ハーンが見た臼の上で傘をさして歌う姿は、鳥取県でも見られ、宮崎県延岡市でも見られた。坂本要氏の「宇佐地域及び大分・宮崎県境の傘の出る盆踊り」（『筑波学院大学紀要一四』所収　二〇一九年）に、延岡藩の藩主夫人が書いた日記の文久三（一八六三）年九月一日の記事に、臼の上で傘をさして歌う「ばんば踊り」の図があるのを紹介されている。

坂本氏は、盆踊りの傘について「依《よ》り代《しろ》」とされている。つまり、傘は祖霊がこの世に降りてくる目印であり、宿るための物との考えである。傘に降りてきた祖霊を囲んで、楽しく踊り、そして送り出す、盆踊りの傘にはそういう意味があるようだ。

出雲のお国と盆踊りについては、紹介した以上の資料はなく、どのような影響関係があったのか、歌なのか、踊る動作なのか、不明である。ただ、「念仏踊り」そのものが、後の盆踊りに影響を与えたことは確かである。
身近な盆踊りにも、いろいろな歴史があり、さまざまな変遷があったことであろう。
それぞれの盆踊りの歴史に思いをはせつつ、新しい命を吹き込んで踊り続けていってくだされぱと思う。

【参考文献】

小笠原恭子『出雲のおくに』（中公新書、一九八四年）
『国女歌舞妓絵詞』（『日本庶民文化史料集成　第五巻　歌謡』三一書房、一九七三年）
小泉八雲「杵築雑記」（平井呈一訳『日本瞥見記（上）』恒文社、一九六四年）
小泉節子『思い出の記』（角川ソフィア文庫『新編　日本の面影Ⅱ』所収、二〇一五年）
梶谷　実「ヘルンの見た杵築の豊年踊」（『大社の史話』第一〇号、大社史話会、一九七五年）
松浦　亮「出雲地方における「盆踊り」考」（『山陰民俗研究』第一一号、二〇〇六年）
『出雲市無形文化財連絡協議会50年の歩み』（出雲市無形文化財連絡協議会、二〇一六年）
『出雲市三十年誌』（出雲市役所、一九七三年）
『湖陵町誌』（湖陵町、二〇〇〇年）
『佐田町の民話と民謡』（佐田町・佐田町教育委員会、一九八六年）
『新修　米子市史　第五巻　民俗編』（米子市、二〇〇〇年）
早川時夫『渡・森岡　ふるさとのあゆみ』（渡公民館、一九八七年）
『松江市史　別編　民俗』（松江市、二〇一五年）
『島根県の民謡』（島根県教育委員会、一九八六年）
『復刻　日本民謡大観　中国篇』（現地録音ＣＤ付き、日本放送出版協会、一九九三年）
『復刻　日本民謡大観　中部篇　（北陸地方）』（現地録音ＣＤ付き、日本放送出版協会、一九九二年）
『復刻　日本民謡大観　近畿編』（現地録音ＣＤ付き、日本放送出版協会、一九九三年）

第3章

神話・伝承にもとづく祭り

美保神社の青柴垣神事・諸手船神事

横山直正

美保神社の青柴垣神事・諸手船神事は、国譲り神話を再現する神事である。しかし、この神事はなぜ春と冬に行われるのだろうか。この両神事は、春を迎え奉祝を祈る神事・収穫を感謝する神事でもあるからである。

よこやま・なおまさ
昭和五十六年五月十八日生まれ。平成十二年、島根県立松江東高等学校卒業後、國學院大學文学部神道学科へ入学。平成十六年、國學院大學を卒業後、同大學大学院 文学研究科神道学専攻 博士課程前期へ入学。平成十八年、修士（神道学）の学位を取得。平成二十二年、同後期課程を満期退学後、美保神社へ奉職。現在、美保神社権禰宜。大社國學館講師。島根県神道青年協議会監事。松江市美保関町在住。

はじめに

美保神社の青柴垣神事《あおふしがきしんじ》・諸手船神事《もろたぶねしんじ》は、出雲地方を代表する古伝祭である。本稿ではその歴史について触れ、主に祭日について着目する。つぎに現在の神事を概観し、そこに関わる氏子の姿について考えてみたい。

一　歴史概略

両神事の歴史は、記録に基づく限り少なくとも三五〇年以上である。

寛文十（一六七〇）年に記された『美保神社御祭礼年中行事』[1,2]に記載があり、それ以前の成立といえる。ただし、「青柴垣神事（蒼柴垣神事）」、「諸手船神事」、という神事名は明治以降のものである。それ以前は青柴垣神事を「三月祭《さんがつまつり・さんがつさい》」、諸手船神事は「霜月祭り」「あり舟の祭り」等と表記されていた。

寛文十年以前の状況、そして両神事の創始時期については、現時点で不明と言わざるを得ない。

その理由として、古代・中世史料の欠落が挙げられる。永禄十二（一五六九）年（もしくは元亀元〈一五七〇〉年とも伝わる）に発生した、毛利・尼子両氏による「美保関の合戦」による社殿焼失や、江戸時代寛政十二（一八〇〇）年の「美保関大火」のため、古代・中世の祭礼や境内、社殿の様相は不明な点が多い。ただし両神事は、当屋制度（一年神主制度ともいい、専業神職ではない者が神籤〈みくじ〉や輪番により神事奉仕を担う制度。その歴史は中世に遡り、古来は西日本を中心に各地で行われていた）や、彩色豊かな特殊神饌（竹籠に飾り付けられた各種の餅や、米粉で作られ油で揚げた犬・猿・兎などの動物を模した菓子など）の状況からすれば、基礎形態が確立したのは中世と推察される。

今日に伝わる氏子内の口伝では「都から落ち延びた太田政清という公卿が両神事を確立させた」ということである。しかし、管見の限り太田政清という公卿を歴史史料上に確認することはできない。現時点で太田政清に関する痕跡は、美保神社境内に鎮座する末社、今宮社（若宮社に合祀されている）にある。ここに「政清霊」が鎮座しており、その足跡をわずかに残している。

管見では「政」の字を通字としたことのある但馬国守護職、太田氏の一族と関わりがある者ではないかと推察するが、神事との関連性は不明と言わざるを得ない。

二　神事の解釈と祭日について

この両神事は、一般的には記紀神話の「国譲り」神話を再現する神事として理解されている。

「国譲り」神話の流れに即せば、十二月の諸手船神事は「国譲りの諾否を尋ねるために、出雲から美保の地まで使者が遣わされる場面」、四月の青柴垣神事は「事代主神が青柴垣のなかへお隠れにな

青柴垣神事
御船の儀にて宮灘を離れる場面

諸手船神事
相手の船へ櫂で海水を掛け合う場面

る場面」である。

しかし、両神事に見いだせる意味は、神話の再現に留まらない。それがわかるのは神事の祭日である。

現在、青柴垣神事は四月七日、諸手船神事は十二月三日に行われている。神話の再現、というだけであれば、同日、もしくは連続した日に神事が行われていてもおかしくない。しかしながら、この両神事はこのように全く別の日に行われている。ということは、国譲りの再現「以外」の要素も多く含まれている、ということである。

ここで江戸時代の両神事の祭日について確認したい。青柴垣神事は江戸時代には三月三日、桃の節句に行われていた。すなわち、春を迎え豊作を祈る節句の神事（**予祝儀礼**）としての要素がある。また、諸手船神事は江戸時代には十一月の午の日に行われていた。神様に豊作を感謝する神事（**収穫祭**）としての要素がある。後に詳述する。

三　美保神社の当屋制度（一年神主制度）

この両神事は、神社神職だけではなく、美保神社の氏子も重要な役割をなし、双方が協力して執り行う神事である。

美保関在住の志願者のなかから、四月七日の青柴垣神事の際、美保神社宮司の神籤によって**當屋**二名を毎年決定する。當屋に選ばれると、一年間毎日、夜間に潮掻《しおか》き（海での禊）を行い身を清め、紋付羽織・袴・下駄姿にて誰の日にも触れずに美保神社へ参拝する。日々、穢れを避けるため葬式等への出席は避け、食事も家族とは別に行う。また御祭神が鶏をお嫌いであるとの伝承から、鶏肉・鶏卵も口にしない。その他、歴代の當屋から受け継がれてきた日々の作法等もあり、部外者は全容を窺い知ることはできない。現在当屋制度を継続している地域は美保関以外にも存在するが、おそらく最も厳格な当屋制度と思われる。

四月七日の一ヶ月後、五月五日には**神迎神事**が行われる。この神事は古来「四ノ御前迎《しのごぜんむかえ》」と記され、事代主神の御后神、活玉依媛命《いくたまよりひめ》をお迎えする神事である。この神事は、五月五日の夜明け前午前二時半に美保神社神職と共に神社前の宮灘を御船にて出港、神蹟地であり美保神社の飛地境内である沖之御前島に上陸し、島に注連縄を懸け、神迎えの儀式を行う（ただし、江戸時代には神迎神事は主に巫女など女性による奉仕が中心だったようであり、當屋が上陸するようになったのは明治以降と考えられる。また、夜間に沖之御前島に上陸することは大変危険を伴うため、実際には美保関灯台付近にある「しめかけ岩」にて注連縄を懸け、明朝以降の波の穏やかな日に、沖之御前島に注連縄を懸け替える場合が殆どである）。

その他、當屋は毎月七日の月次祭等への参列等を経て、十二月二日の諸手船神事宵祭、三日の**諸手船神事**を迎える。この際両當屋は、真剣《まつか》と呼ばれる木製の祭具を所管する真剣持《まつかもち》の所役を宮司より指名される。諸手船に乗船、競漕の後に両當屋は鳥居まで真剣を奉持し、鳥居まで競走する（古来は隨神門まで競走していたが、現在隨神門自体が存在しないため鳥居までの競走）。

この後、當屋は四月七日の青柴垣神事を迎える。この際、早朝より美保神社境内の神事会所にて神懸りの状態となる。午後、御船に乗船後、行列にて本社拝殿へ帰殿。神懸かりの状態から開眼する。

當屋の一年間を概略するとこのようになる。當屋は原則として生涯一度きりの役である。そして當屋経験者は**準官**《じゅんがん》と呼ばれ、當屋を経験した順に序列されている。現在約五〇名である。

青柴垣神事翌日の四月八日、後宴祭《ごえんさい》にて、毎年準官のなかから神籤によって**客人當**《まろうどとう》一名が決定。ここから一年毎に青柴垣神事を節目として、**客人當→休番→**（上席）**休番→頭人**、と役が繰り上がり、計四年の奉仕となる。客人當は美保神社末社の**客人社**《まろうどしゃ》の當屋、という意味であり、休番・（上席）休番の二年間は頭人に至る迄の準備期間であり、最終年が**頭人**（当屋制度の最高位）となる。頭人とはその年の当屋組織の長である。客人當から頭人に至る四年間も、當屋と同様、穢れを避けるための日々のしきたりがある。これらも生涯一度きりである。頭人経験者は**上官**《じょうがん》といい現在約三〇名、いわゆる祭祀組織のなかで長老格となる。これも頭人を経験した順に序列されている。

概括すれば、当屋組織は明確な上下関係が存在する組織である。「頭人・一ノ當屋・二ノ當屋・客人當・（上席）休番・休番」の六名を役前と呼び組織の頂点として、次に長老格たる上官約三〇名、そして準官約五〇名の序列となる。神事の際の序列・席次はすべてこの序列に基づく。整理すると次の通りとなる。

・頭人　　当屋制度の最高位
・一ノ當屋　美保神社本社　大御前の當屋
・二ノ當屋　美保神社本社　二之御前の當屋
・客人當　美保神社末社　客人社《まろうどしゃ》の當屋
・（上席）休番　頭人への準備段階
・休番　　頭人への準備段階
※以上六名を役前《やくまえ》と称する
・上官　現在約三〇名。役前の補佐
・準官　現在約五〇名。上官の補佐

四　諸手船神事概要

諸手船神事は別名に「八百穂《いやほ》の祭り」「ヤアヤア祭り」「水掛け祭り」とも呼ばれ、国家安泰・五穀豊穣・大漁満足を奉祝し、また祈念する神事でもある。この神事を拝観すれば、一年間無病息災で過ごすことができると伝わる。

十二月三日の午後、神職および氏子が美保神社拝殿に昇殿する。本殿の御扉を開扉し、宮司の奉幣が行われたのち、神楽が行われる。つぎに氏子のうちから、諸手船二隻に乗船する者一八名を宮司の神籤《みくじ》、指名によって決する。乗船者は各々装束を着替えた後、神社前の宮灘にある二隻の諸手船に九名ずつ乗船する。宮司・頭人は宮灘の幄舎に入る。二隻の諸手船は、大国主神を祀る対岸の末社・客人社《まろうどしゃ》の麓まで漕ぎ出で、客人社を遥拝する。そこから宮灘まで潮をかけ合いながら競漕し、これを三度繰り返す。次に天つ神の使いの神に扮する氏子と、宮灘で諸手船を迎える宮司との間で天壌無窮・国家安康等を奉祝する問答があり、互いに合拍手を行う。この後二隻は再度港内を三度漕ぎ周り、双方、相手の船へ櫂で海水を掛け合いながら競漕する。その後宮司以下諸役の者が神社へ戻り、前夜の宵祭《よいまつり》で本殿へ供えた神饌を撤下して、御扉を閉扉し、撤下した神饌の頒賜の儀がある。最後に、神社境内にある神事会所にて直会式（真魚箸式など）が行われ、一日の結びとなる。

また外部から披見することはできないが、諸手船神事に先立つ十一月三十日には、神社にて甘酒造込が行われる。粥状にした米と麹を混ぜ合わせ、注連縄を掛けた桶のなかで二晩置いた後、十二月二日にその甘酒に対して宮司が拝礼する。この甘酒はその夜の諸手船神事宵祭にて本殿に供えられる。

ここで宮司の拝礼がある、ということは、神霊の力によって米が甘酒へと変化した、ということであり、今年も神徳によって稲作が無事に成就したことへの感謝をも含むと思われる。また、本殿へ供える甘酒造込よりも小規模ではあるが、数日前の十一月二十八日の地主社祭にも、少量の甘酒を造って供えており、また十二月三日正午の諸手船神事に先立つ客人社祭においても、客人當が造った甘酒を神饌として供えている。まとめると

十一月二十八日　地主社祭（美保神社末社）
十二月二日　諸手船神事宵祭
十二月三日　客人社祭（美保神社末社）

これらの祭においてはすべて甘酒が供えられており、美保神社の年間行事のなかで特徴的である。また、全国の神社や地域の行事において、収穫祭にあたる秋祭には甘酒が供えられていることが多い。諸手船神事が国譲りの再現であるとともに、収穫祭の要素をも含んでいることがわかる。

五　青柴垣神事概要

四月七日の青柴垣神事は、美保神社神職、役前・上準官、その他関係者合わせて総勢約二〇〇名が関わる美保神社最大の神事である。

その準備は三月三十日からはじまる。「両當屋神楽参籠」といい、両當屋は神様に対して神楽を奉納し（神楽自体は神社の巫女・神職による）、そののち宮司と共に神事会所にて参籠する。江戸時代の記録によれば二晩三日参籠していたが、現在はその日のうちに終わる。四月一日より五日迄は主に氏子による神事の準備が行われる。略記すれば次の通りである。

・人別《ひとわけ》（両當屋の神事準備に奉仕する上官・準官をどちらの當屋に属するか決定する）
・粉砕《こはたぎ》（少女が粉砕歌を歌いながら神饌に用いる米粉を搗く）
・鳥造《とりつくり》（粉砕によって造られた米粉を、鶴・亀・犬・兎・猿などに象った神饌を造る）

・酉揚《とりあげ》（鳥造で奉製した神饌を宮司が油で揚げる儀式）

・御祓解《おはけ》（當屋の家であることを示す祭具のことで、これを神事会所に立てる。これも古くは當屋の家に立てていた）

・祓解奏《ばっかいそう》（祓解とは、通常は美保神社神門に吊されている独特の祓具である。これを拝殿天井から吊し下ろし、神事奉仕の氏子が両手で奉持し左・右・左と回り自らを祓う儀式）

これらを経て六日の青柴垣神事宵祭へ至る。この宵祭においても、諸手船神事宵祭と同様、七五台の御供が供えられる。またこの際、外部から披見することはできないが、桃の枝が差された神饌や菱餅なども供えられている。

七日の午後、青柴垣神事となる。宮司は本殿を開扉し、本殿内で奉幣を行い（外部から披見はできない）その後、本殿御扉前にて祗候する。引き続き巫女舞が行われる。

そののち神事会所から當屋の行列が宮司を迎えに拝殿前へ進む。當屋本人は神懸かりの状態にあるため、腰抱《こしだき》（準官から選ばれる役）に支えられている。真幣《しんのへい》（桙の形をした祭具であり、またそれを捧持する役。準官から選ばれる）が拝殿奥に進むと、宮司は本殿より降階し、真幣の後ろにつく。真幣は桙尻にて地面をかすめながら宮司を導き、宮司はそれに従い拝殿前の行列につき、行列は神事会所へと向かう。

宮司が神事会所に着いた後、御船乗船の前段階として、御注連縄懸や供膳・神酒三献の儀が行われる（本来は一ノ當屋、二ノ當屋の自宅で各々行われていたが、現在は美保神社境内の神事会所にて一度に行っている）。その後、宮司を行列にて本殿へ送る。

宮司が本殿へ帰着した後、改めて両當屋の補佐を行う上官が、拝殿へ御船下向の迎えに進む。これを受けて神社神職は、波剪御幣《なみきりごへい》（美保神社独特の御幣であり、代々の宮司のみ奉製が許されている。これを受けると、災害・重病などの重大事の際、御神徳を受けることができる）を納めた唐櫃を捧持し、両當屋の側からは神饌を納めた御供唐櫃が運ばれ、御船のある宮灘へ進む。御船の内外が神職により祓われた後、二艘の御船に分乗する。このとき宮司は本殿の御扉前に祗候したままであり、この行列には加わらない。

御船は宮灘を離れ、港の中央まで進み、その中では各種の儀式が行われ、當屋は化粧を改められる。すなわち、當屋は御船から出てきた際にはあたかも活力を甦らせたかのような姿になっている。

御船が宮灘に戻ると、猿田彦と鈿女の面役（それぞれ休番および前頭人の役）が、猿田彦は鳥居まで、鈿女は宮灘まで下向し、御船を迎える。そして巫女が宮灘に着船した御船に乗船して、その中で古式の巫女舞を行う。

その後総員が御船から上陸し、美保神社社殿へと向かう。拝殿へ着くと、波剪御幣や神饌を本殿内に供える。その後、両當屋は拝殿にて奉幣の儀を行う。そして、宮司の御籤により新當屋が指名されて本殿は閉扉される。その後、「御船番《みふねばん》（上官より選ばれる役）の舞」が行われ、この際の刀を納める所作の音を以て、両當屋は開眼する。そして「當為知《たっしゃ》（氏子から選ばれる役）の相撲」という、必ず引き分けとなる儀式としての座り相撲が行われ、諸員退下し結びとなる。翌日八日は後宴祭《ごえんさい》があり、宮司の神籤により客人當が指名され、宵祭や青柴垣神事で本殿に供えられた神饌が氏子に撤下される。以上が現在の神事の概略である。

この青柴垣神事は、明治五（一八七二）年までは三月三日に行われていた。これが同年の新暦改暦に伴い、明治六（一八七三）年からは三月三十日（旧暦換算で三月三日に相当）に執行し、明治七年以降も三月三十日に祭日を固定して執行する方針だった。しかし「季候相違ノ為古来伝来ノ儀式ニ欽クル所有之　且又　氏子崇敬者等ノ祭日ニ対スル標的ヲ失ヒ遺憾ノ点少カラス」[3]、すなわち、三月三十日では儀式と季節感が不一致であったため、明治八（一八七五）年より四月八日に執行することを島根県に願い出、許可を受ける。さらに「推歩ノ誤リヲ発見シ」（同史料）、すなわち暦の計算上の誤りがあったためとして、明治九（一八七六）年より現在同様の四月七日の祭日となった。

こうした変遷によって、現在は四月七日の神事となっていることもあり、桃の節句としての意味合いが人々に伝わりづらい状況にある。しかし祭日が元来三月三日であったことや、外部から披見することは難しいが、桃の枝の差された神饌や菱餅など、桃の節句としての要素を現在でも残している神事である。

おわりに

以上見てきたように、この両神事は、国譲り神話の再現と言うだけでなく、春の桃の節句としての要素や、秋の収穫祭としての要素が重ね合わされている。

令和元年、天皇陛下が御即位の時には、古例に基づき、十一月十五日の大嘗祭当日に御即位奉祝の諸手船神事を行った。そして十二月三日には改めて毎年恒例の諸手船神事を行い、一年に二度、諸手船神事が執行された。

現在、美保関地域は少子高齢化が進み、両神事ともに神事奉仕の人間が少なくなっているのが現状である。これは全国各地でも同様に、古くからの神事の継続が難しくなっている事実がある。それだけに、これだけの規模で神事を行っている美保関地区の希少性・重要性は相対的に高まってきているのではないだろうか。

【脚注】

1　『日本祭礼行事集成 第四巻』（平凡社、昭和四十六年）
2　近世古文書を読む会「御祭礼年中行事」（島根県古代文化センター編『古代文化研究 十二号』、平成十六年）
3　美保神社蔵『美保神社史資料』（社内史料）

【主要参考文献一覧】

神祇院編「国幣中社美保神社」（『官国幣社特殊神事調四』、一九四一年）
和歌森太郎『美保神社の研究』（弘文堂、一九五五年）
原　宏『美保神社の研究』の「テクスト・クリティク―出雲美保関の祭祀構造の社会学的検証のために―」（『島根大学法文学部紀要・文学科編』六―一、一九八三年）
原　宏「美保神社の未公刊資料について」（『山陰地域研究（伝統文化）』一、一九八五年）
原　宏「美保神社青柴垣神事のディティール―伝承と記録のはざま―」（『山陰地域研究（伝統文化）』二、一九八六年）
原　宏「美保神社青柴垣神事の資料について」（『山陰地域研究（伝統文化）』三、一九八七年）
原　宏「美保神社の頭屋祭祀資料について」（『山陰地域研究（伝統文化）』四、一九八八年）
島根県古代文化センター編『島根半島の祭礼と祭礼組織』、一九九七年）
横山直材「美保神社の青柴垣神事」（『えびす信仰事典』戎光祥出版株式会社、一九九九年）
関沢まゆみ「神社祭祀と宮座運営―美保神社の祭礼の分析から―」（『宮座と墓制の歴史民俗』吉川弘文館、二〇〇五年）

伝承と隠岐の牛突き

岩崎ことい

牛突きは、後鳥羽上皇が観たという発祥の伝説もあり、長く隠岐で行われている。これまでにも隠岐を代表する習俗として紹介されてきたが、平成二十七年度から平成二十九年度にかけて隠岐の島町として「隠岐の牛突き習俗調査事業」を行い、『隠岐の牛突き習俗民俗文化財調査報告書』を作成した。本稿は、同報告書の内容を基に、平成三十年度以降の状況やその後に確認した史料等も踏まえて記す。

いわさき・ことい
隠岐の島町教育委員会社会教育課文化振興係主任。京都芸術大学大学院修士課程修了。平成二十六年度から隠岐の島町教育委員会に勤務し、古文書や民俗文化財を担当する。「隠岐の牛突き習俗調査事業」の事務局及び、同事業報告書の歴史と現状部分の調査と執筆を担当した。

はじめに

隠岐には牛と牛を闘わせる「牛突《うしづ》き」が長く伝わっている（写真1）。由来は諸説あり、現在は隠岐の島町でのみ行われているが、過去には隠岐の多くの場所で行われていた。かつて隠岐国であった現在の隠岐郡（地図1）には、西ノ島町（西ノ島）、海士町（中ノ島）、知夫村（知夫里島）からなる島前《どうぜん》と、隠岐の島町がある島後《どうご》がある。最も有名な牛突きの由来も、海士町でのことであり、承久三年（一二二一）に隠岐に配流となった後鳥羽上皇が関わったものだ。隠岐の島町内での伝説としては、中世末の隠岐島内の覇権争いに関わるものがある。そうした伝説などと共に、牛突きは現在まで伝わった。

写真１　隠岐の牛突き

一　牛突きの現状

牛突きは、牛と牛を向い合せて闘わせる。その取組の決着のつけ方は、どちらか一方の牛が戦意を喪失して逃げると負けである。取組ではそれぞれの牛の鼻綱を持った「綱取《つなどり》」と呼ばれる人が、絶えず牛に掛け声をかけ、綱を緩めたり張ったりしながら、牛と共に闘う。綱取は牛に対して一人で、取組の勝負がつくまで交替しない。他にも牛を連れる「牛いい」、牛の先導をする「塩振《しおふり》」、取組の審判役となる「頭取《とうどり》」などがその勝負に関わる。

現在の牛突きを主に担うのは、隠岐の島町の中でも西郷、都万、五箇の地域の保存会と、三つの保存会をまとめる全隠岐牛突き連合会である。

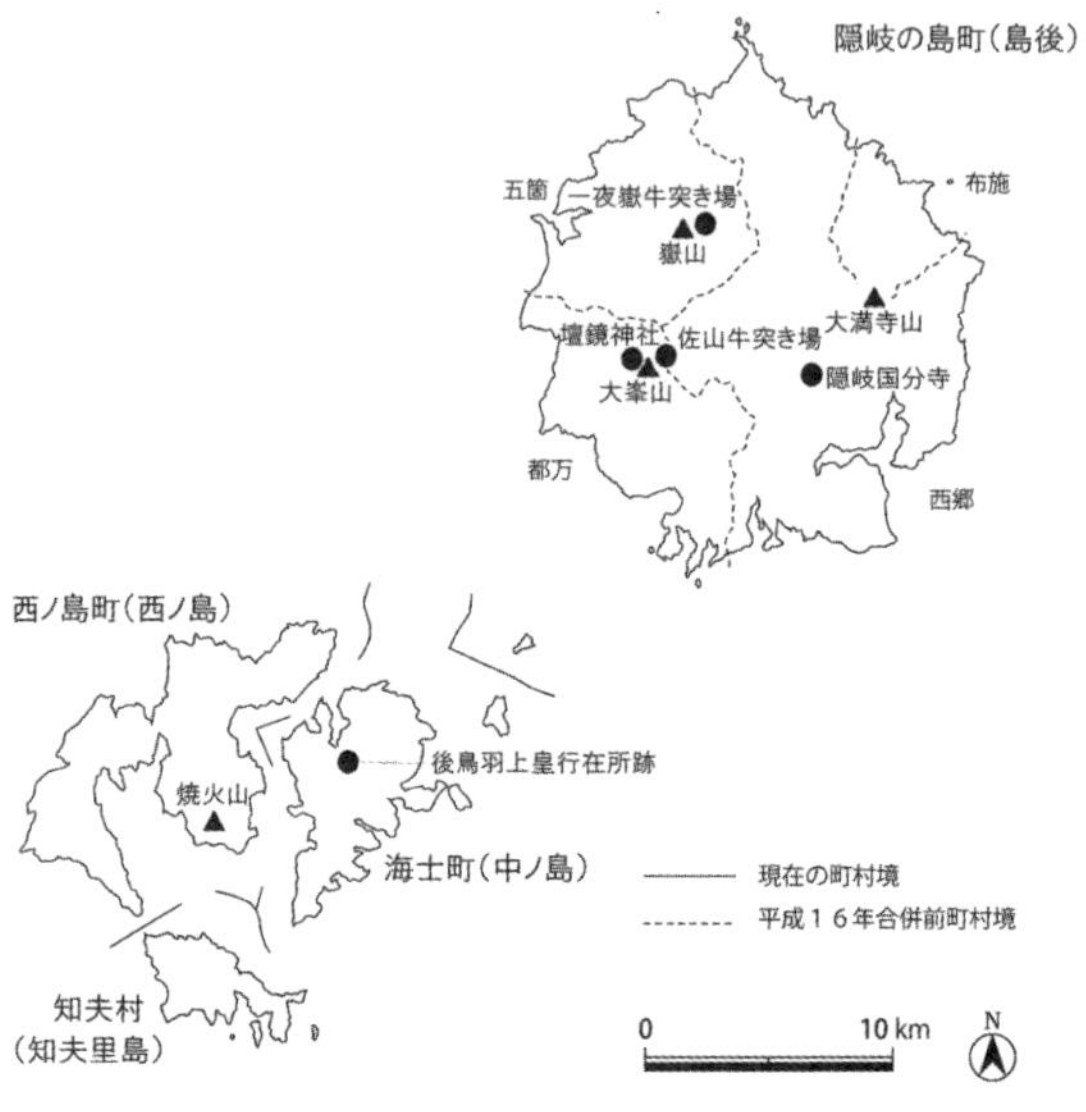

地図１　隠岐郡地図

（一）牛突きの大会

牛突きが大々的に行われる機会として、地域の保存会が主催者となる牛突き大会がある。大会の主催者やその地域は「座元《ざもと》」と呼ばれ、それ以外の地域が「寄方《よりかた》」となる。大会では座元対寄方で取組が作られる。この考え方は隠岐で行われる相撲にも共通する。その他にも相撲と共通する点として、牛を突かせる場所が土俵と呼ばれることや、大会の「番付表」がある。番付表は番組表とも呼ばれ、東と西に分かれ、座元・寄方の牛がそれぞれに並ぶ（写真２）。牛の序列もあり、関脇や大関、横綱と呼ばれる役が、大会ごとに決められる。

現在、隠岐の牛突きの核となっているのは、牛突き夏《なつ》場《ば》所《しょ》大会（西郷）、八朔《はっさく》牛突き大会（都万）、一夜嶽《いちやがだけ》牛突

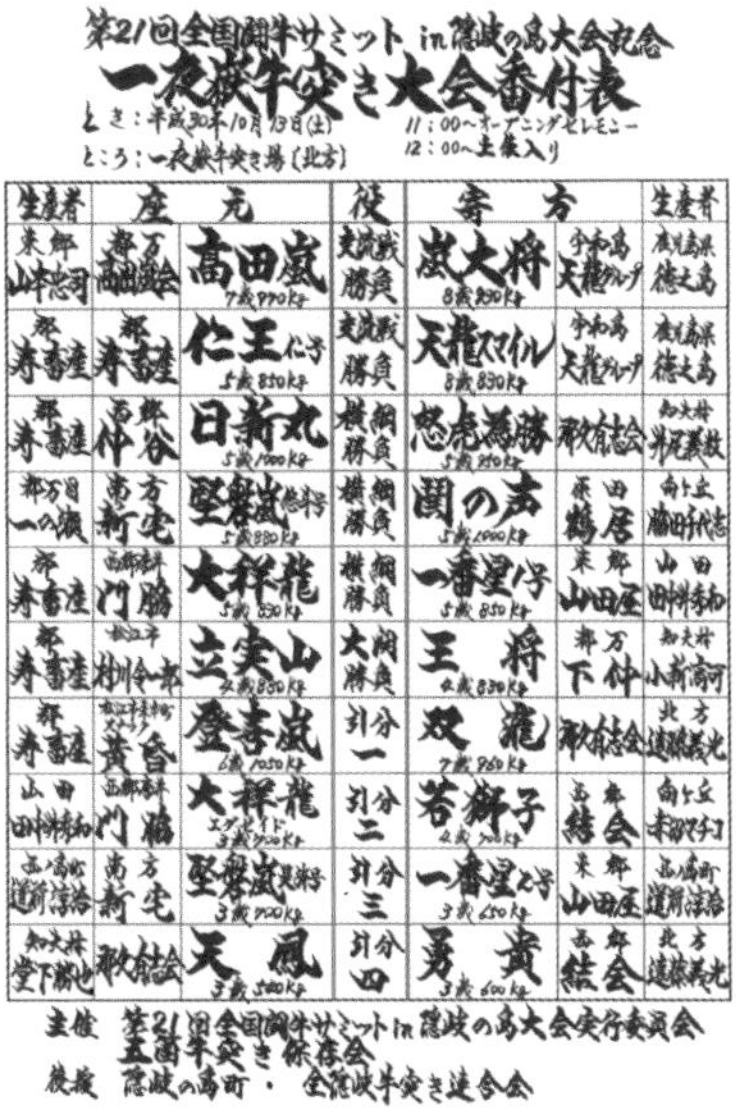
第21回全国闘牛サミット in 隠岐の島大会記念
一夜嶽牛突き大会番付表
とき：平成30年10月13日(土)　11：00〜オープニングセレモニー
ところ：一夜嶽牛突き場（北方）　12：00〜土俵入り

生産者	座元		役	寄方		生産者
東郷 山本忠司	都万 高田[illegible]会	高田嵐 7歳970kg	交流戦 勝負	嵐大将 8歳930kg	宇和島 天龍グループ	鹿児島県 徳之島
都 寿畜産	都 寿畜産	仁王 仁号 5歳850kg	交流戦 勝負	天龍スマイル 8歳830kg	宇和島 天龍グループ	鹿児島県 徳之島
都 寿畜産	西郷 仲谷	日新丸 5歳1000kg	横綱 勝負	怒虎為勝 5歳950kg	都久有志会	知夫村 [illegible]
都万目 一の瀬	南方 新宅	堅磐嵐 [illegible]号 5歳880kg	横綱 勝負	闘の声 5歳1000kg	原田 鶴居	向ケ丘 藤田千代志
都 寿畜産	西郷[illegible] 門脇	大祥龍 5歳830kg	横綱 勝負	一番星1号 5歳850kg	東郷 山田屋	山田 田中[illegible]
都 寿畜産	[illegible] 村川令一郎	立実山 4歳850kg	大関 勝負	王将 4歳830kg	都万 下仲	知夫村 小新[illegible]
都 寿畜産	[illegible] 黄昏	登喜嵐 6歳1050kg	引分 一	双瀧 7歳960kg	都久有志会	北方 遠藤義光
山田 田中[illegible]	西郷[illegible] 門脇	大祥龍 エグゼイド 3歳700kg	引分 二	若獅子 4歳700kg	西郷 絆会	向ケ丘 [illegible]
西ノ島町 道前[illegible]	南方 新宅	堅磐嵐 [illegible]号 3歳700kg	引分 三	一番星2号 3歳650kg	東郷 山田屋	西ノ島町 道前[illegible]
知夫村 堂下[illegible]	都久有志会	天風 3歳500kg	引分 四	勇貴 3歳600kg	西郷 絆会	北方 遠藤義光

主催　第21回全国闘牛サミット in 隠岐の島大会実行委員会
　　　五箇牛突き保存会
後援　隠岐の島町・全隠岐牛突き連合会

写真２　牛突き大会番付表
（平成30年一夜嶽牛突き大会分）

き大会（五箇）の三つの大会である。これらの大会では毎年八番前後の取組を事前に決めて番付表を作り、強い牛同士で勝負をつける取組もある。牛突きでは負けた牛は突かなくなるとして、練習などでは勝負をつけない。特に牛の頭数減少が課題となっている現在は、牛の頭数を減らさないように引分を前提とする取組も大会で組まれ、この引分だけの大会も一年に五回程ある[1]。

勝負のある大会の前後に、牛を所有し飼育する牛主《うしぬし》にはいくつかの習慣がある。多くの人は大安の日や大会前日に、牛の必勝や安全を祈願し神社へ参詣する。この時に御神酒や大会当日に使う清めの塩、鼻綱と共に梅干しを御供に持参する。この参詣や当日の出陣式に当たる「出祝《でいわ》い」では、梅干しと勝ち星をかけ、また小梅の種を飲み込むことで相手を飲む、といった験担ぎがある。

牛突き大会当日の牛突き場で、牛主は自分の牛を繋いだ横で家族と共に、他の牛主やヒイキと呼ばれる牛主の友人・知人といった親しい人を料理や酒でもてなす。そのために多くの牛主の家が前日から料理を用意する。訪れた人へ酒をすすめるために多くの牛主は、「竹タンポ」と呼ばれる真竹を切って加工した酒徳利を作り、破竹からコップを作る。これらは青竹の香りが重視され、大会ごとに作られている。

写真３　牛突き大会（土俵入り）

牛突き大会はその日の牛の披露である土俵入りから始まる（写真３）。土俵入りは座元、寄方がそれぞれに若い牛の役である「芝《しば》切《きり》」の牛から行うが、一頭ずつ塩振が塩で清めたところを牛いいに牽かれて入場し、牛の後ろからその牛の綱取も続く。土俵内では牛や綱取らが一堂に円になる。また土俵入りでは牛を飾る牛主もいる。牛の名前の称号のある飾りを額につけ、五色の布を角から垂らす「ハチマキ」や、横綱牛だけが付けることのできる大相撲の横綱を模した「横綱」といった頭飾り、牛の胴体にかける化粧着物などがある。土俵入りではヒイキが幟旗を持って牛について歩き、花を添える。

土俵入りに続き、関係者の顔合わせに牛主らが土俵中央で円になって酒を交わす。その後、取組が行われるが、こちらも大相撲同様に、芝切から横綱へと順に進む。取組は頭取が二頭の牛の間に塩を撒いて始まり、勝負がついた時、もしくは頭取が引分を判断した時に終わる。勝った牛にはその牛の牛主やヒイキが駆け寄り、その背に乗って勝利を祝う。

牛が勝負に勝った際の帰り道でも凱旋として、牛が披露されることがある。現在は牛を牛車《うしぐるま》と呼ばれるトラックに載せて移動するが、徒歩で移動していたころの名残として、家の近くで牛を車から下し、飾りつけた牛を牽き、幟を持ったヒイキらと共に数百mを歩く。そして勝祝いや直会といった宴席が大会の後には設けられ、ヒイキや牛突きの関係者が集まる。こうした席では隠岐民謡の披露や、席にいた人が即興で踊り出すこともある。

(二) 突き牛の飼育

昭和三十年代までは農耕のために各農家が牛を飼育し、牛突きもこれらの牛で行われていた。農耕が機械化されてからは、牛突きのための牛（突《つ》き牛《うし》）が飼われている。また、家の敷地やその周辺で牛を飼うことが難しく、西郷、都万、五箇の三カ所にある共同牛舎で飼う人も多くなっている。三棟の共同牛舎のうち、西郷地区共同牛舎が最も新しく、平成三十年（二〇一八）に竣工した。この牛舎では最大一〇頭が飼育でき、令和二年（二〇二〇）七月時点では六人と一団体の牛主による九頭の突き牛がいる。そのうち三人と一団体は、同牛舎竣工後に突き牛を飼い始めた。共同牛舎での飼育について牛主から、共同牛舎であれば利用者同士で協力でき、牛を飼育しやすいという意見もあった。

飼育環境が変化するなか、往時と変わらないこととしては、隠岐産の牛を突き牛としていることが挙げられる。角も生えない子牛のうちに、その目つきや骨格などから見込みのありそうな牛を選ぶ。そして、角が生え始めるとその角を矯正し、上向きで中央に向かってカーブするような形に整える。また現在は牛突きが行われていない島前は子牛の生産地として牛突きに関わっている。島前の方が島後に比べて土地が急峻で、子牛が足腰を鍛えられるため頑丈とされている。そのため牛主は、子牛を求めて島後から島前に行くことがある。

二　国内の闘牛

日本国内には、牛突きのほかにも牛と牛を闘わせる闘牛がある（地図2）。現在、日本で闘牛を行っている地域は、「全国闘牛サミット協議会」として交流をしている。昭和期までは東京都の八丈島でも行われており、現在の地域も現況よりも広範囲で行われていた。

（一）国内闘牛の概要

どの地域でも闘牛と呼ばれることがあるが、それぞれに固有の名称を持つ。岩手県久慈市と、新潟県の長岡市・小千谷市にまたがる山間にある二十村郷、この二カ所では「牛の角突き」と呼ばれ、愛媛県の宇和島市を中心とする南予地方でも「牛の突きあい」、鹿児島県奄美諸島徳之島では牛の娯楽という意味の「牛なくさみ」、沖縄県では本島だけでなく八重山諸島も含む県内各地で行われ、牛の喧嘩を意味する「ウシオーラセー」と呼ばれる。

隠岐の牛突きは島根県指定無形民俗文化財だが、新潟県の「牛の角突きの習俗」は国の重要無形民俗文化財であり、他の闘牛も指定文化財となっているものがある。

（二）国内闘牛の変遷

いずれの闘牛も、農耕や運搬に牛が使役されていた時代に始まったとされる。岩手県の牛の角突きに関する近世の文字史料はないが、近世以前から新潟への南部牛の供給地であった。南部牛に塩などを積んで隊列を組んで他の地域に出かけ、運んだ物だけでなく牛もその地で売買した。その牛の隊列の統制を取るための、牛の序列を付けるのに、角突きを行っていたと言われている。

二十村郷では春から秋の祭の時などに行われたとされ、『南総里見八犬伝』にもその様子が描かれている。発祥の伝説には、先住民族が行っていた風習であることや、古代に征討軍のために供出した佐渡牛が海を渡り、激しく戦ったことから始まったという説などがある。

南予地方では、十八世紀に近海で難破したオランダ船を助けたところ、その船に乗っていた牛を贈られ、その牛が闘牛をしたことで始まったという説がある。

徳之島では、盆や十五夜の時に行っていたと『南島雑話』に記され、またその勝敗により、どちらかの牛を食べていたとされている。由来などはわからない。

沖縄県では、文字や絵画での記録はなく、明治期以前の様子はわからないが、日常的に行っていたのではないかと言われている。

近世の隠岐や南予地方などでは、牛を闘わせることは禁止されていた。明治期以降は動物虐待という観点も加わり、禁止や制限をされることがさらに多くの地域であったが、現在まで続けられている。

隠岐と他の地域という点では、昭和三十年代以降、全国規模で闘牛を通じての交流が始まった。昭和三十六年（一九六一）に西宮球場で徳之島の闘牛と対抗戦をし、また昭和三十年代半ばからは、牛のやりとりを南予地方とするようになった。現在は、平成十年（一九九八）に闘牛を行っている市町村が、全国闘牛サミット協議会を結成している。協議会参加の市町村が輪番で事務局となって一年に一度集まり、全国闘牛サミットを開催する。サミットで行われる大会には、複数の地域から牛が参加するが、互いのルールを尊重した取組を行う。

地図２　国内の闘牛開催地

（三）国内の闘牛における相違点

国内の闘牛は牛同士を闘わせるが、その闘わせ方は大きく二種類ある。岩手県と二十村郷では、南部牛が荷牛として商品を運んだ先で購入された、という繋がりがあるため、この二地域は類似点が多い。その闘わせ方は、大勢の勢子《せこ》が円になって二頭の牛を囲み、手と掛け声で囃して闘わせ、取組を引き分ける。

南予地方、徳之島、沖縄県では隠岐と同じように、それぞれの牛に対して勢子がつき、彼らが自分の牛に対して、手や掛け声で囃して牛を闘わせる。隠岐以外の地域では、鼻綱を取組開始後に外して、勝負をつける。

国内の闘牛では岩手県と二十村郷では近世以前から牛を通じた関わりが認められるが、その他の地域同士では関わりが見られない。戦後は交通網の発展から、沖縄と奄美諸島、隠岐と宇和島といった交流も見られ、牛のやりとりや、牛の装飾などへの影響が確認できる。

三　牛突きの歴史

牛突きの由来は、隠岐に配流となった後鳥羽上皇が、港から行在所に向かう道中に牧で牛同士が突いているのを見て喜び、そこから島民が後鳥羽上皇の御前で行ったという説が、最も有名である。また、上皇は配流となる前に鳥獣人物戯画のような絵巻物を観ていただろうことから、そこに描かれた牛同士が闘う様子を実際に見て喜んだのではないかという説もある。

ほかにも牛突きに関する話として、八朔牛突き大会に関わると思われる話が伝わっている。中世に島後の中でも領土争いがあり、西郷と都万の勢力がその境界の山中（現在の八朔牛突き大会の会場の辺り）で戦った。その後、戦死した人の霊を慰めるために牛突きをしたといわれている。

しかし、後鳥羽上皇と牛突きの関わりを直接示すものを含めて、中世の様子を伝える史料は確認できていない。牛突きの記述が文書の中に登場するのは江戸時代以降である。

牛突きに欠かせない牛がいつから隠岐にいたのか。中世以来、隠岐では牧畑といわれる農業形態をとっていたとされる。牧畑を行うには牛馬が欠かせず、この牧畑を行うようになった頃には隠岐全体に牛馬がいたことが考えられる。

（一）江戸時代の牛突き

当時、隠岐は江戸幕府の天領だったが、大半の期間は松江藩の管理下にあり、松江から役人が派遣されていた。各村には庄屋がいて、村々の庄屋をまとめる大庄屋が島前に一人、島後の穏地郡と周吉郡にそれぞれ一人、合計三人いて、松江藩と村をつないだ。

江戸時代には「隠岐牛《おきうし》」と呼ばれる隠岐固有の牛がいた。明治の資料ではその特徴を、毛色が黒白斑で、四肢強健で労役に適しているとされた。貞享四年（一六八七）の「増補隠州記《ぞうほいんしゅうき》」には、島後と島前で合計三六八七頭がいたと記されている。同様に掲載された家数と比較すると、おおよそ一軒につき一頭の牛がいたことになる。当時の牛は農耕用の役牛であり、頭数は多くなかったようだが、稲積など本土の博労が隠岐の牛を買うこともあった。鳥取県の大山牛馬市の博労歌にも、隠岐の牛が淀江の浜からあがったとあり、隠岐の牛が出荷されていた。

①牛突きの禁止

牛突きに関する記述のある古文書は、これまでにいくつか確認されている（表1）。このなかで最も古いのは「寛政年間倹約令」となる。寛政年間倹約令は島後の大庄屋二人から島後の村々に、寛政四年（一七九二）から十二年（一八〇〇）の間に出されたものである。この中で、「牛突一統停止」として牛突きが禁止されている。それ以上の記述はないが、当時すでに禁止される程行われていたことがうかがえる。牛突きの禁止は、このほか、文政七年（一八二四）に島後で、弘化三年（一八四六）に島前で出されたことが確認できている。松江では牛突き禁止を含む倹約令などの確認はなく、これらが隠岐に特定して出されたとも考えられる。

このほか、元治二年（一八六五）年には、島後で庄屋が大庄屋に対して送った「御請申上候一札之事（當国闘牛之儀）」がある。その中には「當国闘牛之儀、先年ゟ堅停止之旨被仰聞」、「近年猥リニ相成御法度相背候輩も有之、畢竟牛突場所有之村方ゟ目論見候得之儀」（牛突きが禁止されるなか、近年は特に牛突き場を所有する村人が行っている）とある。そして庄屋や年寄から、村人に牛突きの禁止を改めて伝えてほしいと訴え出て、大庄屋もそれを認めて改めて禁止する触を出した。

島前での禁止を伝える「覚（牛突の禁止）」では、牛突きでは、人や牛が怪我をする、牛を働かせない期間がある、土地を牛突き場としている（田畑を無駄にする）

表1　牛突きの記述のある隠岐郡内の文書

番号	文書名	関係者	年代（西暦）	文書群名（地域）	牛突きに関する記述など
1	［寛政年間倹約令］	差出：（周吉郡）大庄屋半蔵・（穏地郡）大庄屋幸右衛門 宛先：（島後各村）	［寛政４年～12年］（1792～1800）	池田家 上田屋文書 （島後）	倹約令の一部に「牛突一統停止」とあり
2	［文政７年倹約令］	（差出・宛先不明）	文政７年８月（1824）	横地満治資料（島後）	倹約令の一部に「牛闘堅無用之事」とあり
3	〔書状〕（寄附物高野山にて調達に付）	差出：（高野山）宝蔵院 宛先：（海士村）村上助九郎	文政11年11月21日（1828）	海士町 村上家文書 （島前）	「嶋後之悪敷事」・「仏日ニ牛突なとを好」など
4	天保十二丑八月御神事客手配		天保12年８月（1841）	海士町 村上家文書 （島前）	「一、向新海牛つき時警固桟敷着付」とあり（後鳥羽院御陵での祭礼）
5	覚（牛突の禁止）	差出：（島前代官）松田半蔵・（隠岐郡代）三谷茂助 宛先：（島前）大庄屋峯三郎	弘化３年９月８日（1846）	海士町 渡辺家文書 （島前）	（牛突きの禁止を含む倹約令・原本不明）
6	覚（牛突いたし候段に付）	差出：（島前代官）松田半蔵・（隠岐郡代）三谷茂助 宛先：（島前）大庄屋峯三郎	弘化４年10月26日（1847）	海士町 渡辺家文書 （島前）	（牛突きをした人などへの処罰・原本不明）
7	乍恐御内々奉歎願演説之覚（牛突差免願書）	差出：海士郡海士村年寄伊七・庄屋助九郎他25名 宛先：（不明）	文久１年７月20日（1861）	海士町 村上家文書 （島前）	「牛突之儀者従前之御法度」・「乍恐一ヶ年一両度月日を定メ誠ニ竊ニ仕」など
8	御請申上候一札之事（當国闘牛之儀）	差出：（島後各村々庄屋・年寄） 宛先：（穏地郡）大庄屋文蔵・（周吉郡）大庄屋文平	元治２年４月（1865）	田中家 北尾文書 （島後）	「當国闘牛之儀 先年ゟ堅停止」・「牛突場所有之村方ゟ目論見候」など
	奉願口上之覚（牛突御免之儀御願の取り下げ）		［19世紀初頭と推定］	佐々木家文書（島後）	「牛突御免之儀御願申上候得共（中略）急度牛突為致間敷候間」（『西郷町誌』上巻に掲載あり）
	闘牛行	荒川栗園	［壬寅中秋］（1842）	（島前）	（原本不明『隠岐島誌』、『隠岐の家苞』などに採録される）

といったことが、問題であると挙げられている。これらと合わせて牛を耕作以外に用いることが、最もよろしくないとされた。

その一方で、禁止された牛突きに反対する人々の心情を伝える古文書もある。島前の庄屋や年寄などが作ったとされる「乍恐御内々奉歎願覚」では、「牛突之儀者従前之御法度ニ付嶋中一同被仰渡候趣」、「乍恐一ヶ年一両度月日を定メ誠ニ竊ニ仕候間、何卒格別之御仁恵ヲ以、年ニ両度位之日限之分ハ御含被被為成下候」と密かに日付を決めてやっていて、それを認めてくれとしている。島後側の類似文書が『西郷町誌』で紹介されている。「寛政年間倹約令」の直後のことと推定されているが、詳細は確認できていない。内容も禁止に対する緩和を求めたが、それを取り下げるものであった。牛突きに対して、村としても揺れていたことがうかがえる。

②牛突きの機会

具体的に牛突きがどのような機会に行われたのかを記した古文書もいくつかある。特に後鳥羽上皇の祭礼に関連して牛突きを行ったことが、天保十二年（一八四一）と弘化四年（一八四七）の古文書に記されている。天保十二年の後鳥羽院御陵での祭礼の手配書には「向新海牛つき時警固桟敷着付」とあり、牛突きに際して警護を割り当てられた人物がいた。弘化四年には、後鳥羽祭礼にあわせて牛突きを行った人やそれに加わった人、牛をその場へ連れた人が罰せられ、そのことを記した文書があったとされる。祭礼の詳細は明確ではないが、牛を連れた人は「所持の牛牽き参詣」したとされ、社寺で行われたことがうかがえる。

後鳥羽上皇の祭礼のほかでも、牛突きは祭礼にあわせて行われていたような記述がある。前掲の「覚（牛突の禁止）」にも「祭礼或は休日等の節村々より大勢相集り数多の牛を牽来突合せ勝負」とある。さらには海士村の人が個人的に受け取った書簡では、「大切の仏日」に牛突きを好んだとして批判されている。

このほかに荒川栗園が天保十三年（一八四二）の牛突きの観戦記として詠んだ漢詩「闘牛行」があるとされている。こうした資料から、牛突きが禁止されようとも、祭礼の日など非日常的な機会に牛突き場で行われていたのが江戸時代の隠岐の牛突きの状況としてうかがえる。

（二）明治から昭和初期の牛突き

明治となり隠岐は、隠岐県や浜田県、鳥取県と、明治九年（一八七六）に島根県となるまで変遷があった。そうした中で、鳥取県であった明治七年（一八七四）に鳥取県支庁を通じて、「闘牛取締規則」が発令された。規則は、次のとおりである。

「闘牛之儀は蛮夷之風習ニテ開化之国ニ有之間敷事ニ付、一般御禁止可相成処當国之儀ハ右ヲ以テ無上之楽ト致シ候趣ニ付、当分之内左之通規則ヲ相立候条規則之趣相守可申事

明治七年七月十三日

支庁

闘牛取締規則

一　願無クシテ山野牧場往還端寄ニ於テ猥ニ闘牛致間敷事

一　願済闘牛致シ候節ハ竹木ヲ以テ柵欄ヲ結、萬一暴怒及ヒ候トモ人身ニ傷害等無之様、堅字ニ闘場ヲ構可申事

一　闘牛ノ為メ良牛飼置候者ハ、一頭毎ニ持主并ニ毛色歳ニ付丈ケ方等明細別紙之通取調、本月二十五日限り可差出事

但、右之分無之候ハバ其段可相届、尤作牛は書上ニ不及事

一　右同断牛壱頭ニ付、一ヶ月金一円宛毎月上旬ノ内戸長方へ取立十日限り上納可致事

但シ、作牛は此限りニ非ス

一　闘牛興行之節は、作牛ニテモ総て牛一頭ニ付、一日金弐拾五銭ツツ、即日戸長方へ取立連々上納可致事

一　闘牛ノ勝負ニヨリ金銭ヲ賭シ候ニ於テハ、律ニ仍て処行可致事

右之通り可相守事

明治七年七月十三日」

これに続く届出の様式では、戸長から長官宛となっており、飼い主からの届出を戸長が取りまとめ、県へ届け出ていたようである。

実際の状況を把握したうえで出された規則かはわからないが、道の端で牛を突かせたということは戦前から戦後にかけてあったとされた。また取り締まりの内容として、現在の様に牛突きのためだけに牛を飼育するのであれば、届出をして一月一円を納めるとしているが、「作牛」であればそれは免除されている。興行を行う際の注意書きで「作牛ニテも総て」とあり、「作牛」も牛突きをすることがあった。聞き取りでは、昭和三十年代まで

農耕のための使役牛と牛突きの牛を兼ねて飼っていたということがほとんどであった。しかし戦後には、少ないながら牛突きのためだけの牛を飼っていたという人もいた。この明治初頭に突き牛のような牛がいたのかは、いつからそうした牛がいたのかとあわせて、検討が必要である。現時点では島根県から同様の規則が出たことは確認できていない。この規則で何らかの影響があったのか、またいつまで効力があったのかなど、これに関する疑問は他にもある。

島根県となって以降の隠岐では、畜産業が振興されるようになった。明治二十九年（一八九六）には島前、島後を包括する畜産組合も設立された。繁殖のための牛や役牛双方がいたとされるが、島後では江戸時代の半ば以降、牧畑による農業が減少したことなどから牛の頭数は減少傾向にあった。同時に牛の品種改良が行われ、隠岐牛と外来系の雑種が掛け合わされた。その結果、隠岐で飼育される牛の毛色が黒一色となり、身体も大型化した。畜産が奨励される中で、隠岐の中でも島前では子牛の生産、島後は牛の育成へと性格が分かれていった。そして、畜産業と牛突きの関わりとして、牛突きで勝った牛が使役牛としても市場で好評価を得て、高値がついたとされる。また、牛突きがあるが故に、隠岐では牛が好きな人が多く、牛の品種改良などが行われていると当時の畜産資料に記されている。また、島根県の畜産関係の資料で牛突きが紹介されることもあった。

①戦前の牛突きの変化

戦前の牛突きに関する大きな変化の一つに、島前の牛での牛突きが行われなくなったことがある。確認できる最後の機会は、明治四十年（一九〇七）に当時の皇太子が山陰道行啓で台覧した時である。この時に現在の海士町で牛突きが行われ、牛は全て島内の牛であった。昭和十四年（一九三九）に後鳥羽上皇を祀る隠岐神社が創建され、創建祭で牛突きが奉納されたが、この時には島後の牛であった。これ以降、島前で牛突きをする際には島後から牛を船で運んで行っている。

②資料に記された牛突き

牛突きは明治期以来、隠岐を代表する習俗として紹介されてきた。明治期に牛突きがどのように捉えられていたのか、そうした資料に登場する記述から見ていく。

まず明治三十二年（一八九九）『出雲大社農会報』第四号[2]の雑報には「隠岐國闘牛ノ習慣」として牛突きに関する記述がある。この中で特に牛突きの機会について、「期日は田植后十五日位休憩してそれより舊六月十五日には原田村友安の里舊八月一日には上西村の佐山の里に仝十五日には東郷村小田の里に挙行せり」とある。この旧八月一日の上西村佐山の里は、八朔牛突き大会である。八朔牛突き大会は都万地域の壇鏡神社の八朔祭にあわせた牛突き大会だが、上西という隣接する地域の佐山牛突き場で行われる。原田村友安は後述の大正五年の牛突き大会が行われた中条村にあり、地域の練習である地取が行われていた場所として、戦前に関する聞き取りで挙げられた。東郷での牛突きについては、戦後の大会を覚えていると、牛突き関係者を対象に行った聞き取りで聞かれた。記者の名前はないものの、前段の文章の続きで「此等村々は皆島後に在り島前にも擧行する由なれとも予は之を知らす」と記しており、島後の状況については詳しい人物が記したことが考えられる。この文章が翌年の『島根県産牛馬沿革志』にも引用され、同書には荒川栗園の「闘牛行」も掲載されている。

また明治三十六年（一九〇三）『隠岐誌』には、「其角と角とを合わせ、それより後は牛の闘争するに任すといえども、その間ツナドリは綱を放つことなく、牛の争闘する時、手加減にて綱の伸縮を自在にすることはなはだ巧妙なり」とある。牛同士の戦いではあるものの、そこには綱取という存在がいて、その技が巧妙であるとし、現在と変わらない形で勝負が行われていたことが描写されている。さらに続く部分では、後鳥羽上皇との係わりを「後鳥羽上皇曾テ犢牛ノ牧場ニ至リテ、相戯ル、ヲ御覧アリテ、大ニ叡慮ヲ慰メ玉ヒシニ依リ、村民相謀リ、終ニ叡覧ニ供センカ為メ老牛ヲ闘ハシメタルニ始マレリト云フ。」としている。前述の『出雲大社農会報』でも後鳥羽上皇を由来とする説があることを記しており、後鳥羽上皇に見せたことが牛突きの始まり、という説はこの頃には既にあったこととなる。

明治四十年（一九〇七）『島根県史要』では「都万村は旧八月一日、五箇村は旧九月十三日にて、いずれも村社の祭礼に行へり」とある。八朔牛突き大会だけでなく、十月十三日の一夜嶽牛突き大会についても記述が登場する。また同書では伝説であるとしながらも、後鳥羽上皇の御配流の翌日にあたる八月六日に海士で牛突きを行うとしている。これらから現在同様に戦前も、神社祭礼の日に牛突きが行われていたことがわかる。

③観光客のための牛突き

隠岐を訪れた人間にとってはものめずらしいものであ

り、当時の旅行記録に牛突きの記述がある。また、こうした記録から観光客のための牛突きが戦前から行われていたことがわかる。

まず大正五年（一九一六）の大日本山林会による視察旅行の例がある。この年に島根県で同会の第二十六回大会が開催された。大会に併せて、七月十七日から二十日にかけて隠岐を行程に含む視察旅行があった。この旅行では七月十八日に中条村で牛突き大会の見学があった。

視察で来島した人がこの大会を見たことを家族にあてた手紙に書き、番付を視察行程が記された会報と共に残していた。この番付が現在確認できる最も古い番付の原本となっている。大会は「中条村闘牛大会」として、一二番の取組が予定されていた。しかし、途中の五番は上から手書きで消されているため、実際は前頭の四番と小結から大関までの三番の計七番の取組が行われたのだろう。番付には、戦後の牛突き番付に見られる家名や、観光牛突きを担った企業家の屋号がある一方で、戦後には牛がほとんどいないと言われる地域名もある。戦前の島後での牛突きの状況をうかがうことができ興味深い。

また大会の記念印のある絵葉書には牛突きの写真が用いられており、旅行でも牛突きは、見どころの一つとなっていたのかもしれない。この写真の牛には白の斑が腹部と足に確認できる。品種改良により徐々に牛は黒一色となっていったとされるが、この当時はまだ斑のある牛が牛突きを行っていた。

昭和六年（一九三一）に隠岐を団体旅行で訪れた下村宏氏は、その様子を『呉越同舟』の中で「玉若酢神社の傍らにて、われわれ朝日会の一行のために臨時闘牛の催しがある」と記し、観戦記を和歌に詠んだ。同時に牛突きの発祥は後鳥羽上皇が観たことであることや、上皇の忌日には「大仕掛けの牛突き」が行われていることも同書に記している。

また、手田宏氏「島をめぐる　隠岐」（『旅』昭和十年九月号所載）にも牛突きの記述がある。そこでは「本場所ともいうべき大相撲は大きなお祭りの時にだけおこなわれ、観光客は二十円くらい出して予約すれば、いつでも見られるが、これは草相撲にもならない」とある。前段の下村氏が牛突きを観たのは、玉若酢命神社であった。祭礼にあわせて牛突きを行うだけでなく、観光客向けの牛突きについても、そうした神社の横などが牛突き場となっていたことがうかがえる。

（三）戦後の牛突き

戦争でどれほどの期間中断したのか明確ではないが、昭和二十三年（一九四八）に再開したと言われている。また、その前段として、その年の五月に隠岐を含む全国の闘牛が、連合国軍総司令官総司令部によって禁止されたことがあった[3]。禁止のきっかけは東京上野動物園で「日本闘牛飼養組合」が闘牛の開催を計画し、それが報道されたことだった。東京軍政部法務当局はこの計画に対して取り消しを命じ、そこから全国的な闘牛禁止になった。隠岐の牛突き関係者は、牛突きの認可を求めて、島根県を通じて陳情書を提出した。そして実際に牛突きをどのようなものか確認するための視察が行われた。この時には毛艶の良い、あまり突かない牛同士で牛突きをし、牛突きが牛の肥育に貢献し、激しい闘いではない、という印象を与えようとした。視察の結果、同年八月に島根県軍政部を通じて牛突きの許可が下り、九月一日に八朔牛突き大会を行い、牛突きが再開したといわれている。

戦前の牛突きにおける牛の最高位は大関であったが、戦後は大相撲と同じく横綱が最高位となった。それに合わせて、「横綱」と呼ばれる牛の装飾も登場した。

交通事情や農業が大きく変化したことにより、牛突きにも影響があった。まず交通事情については、自動車の普及により牛や観客の多くが自動車で移動できるようになった。そこから島内で旧町村や地域を越えて集まることが容易になり、それまで年に数回の大会のときにだけ町村を越えて集まっていたのが、月に数度行われる練習にも広い範囲から集まるようになった。

この交通事情の発展が全国との交流にもつながり、昭和三十三年（一九五八）には、尼崎市の園田競馬場で隠岐の牛突きを披露した。

牛突きが深く関わっていた農業も大きく変化した。昭和四十年頃まで、隠岐では田畑を耕作するために牛は欠くことができず、ほぼ全ての農家が牛を飼っていた。人々は農作業の終わりに田畑から家に帰る途中で出会った人と、道端などで牛を突かせた。しかし農業の機械化に伴い、農家が農耕のために牛を飼うことはなくなった。そこから段々と島内の牛の頭数が減り、昭和四十六年（一九七一）には出場する牛が工面できず、八朔牛突き大会が中止となった。

また同時に観光客が多く訪れるようになり、島内の各町村で観光客を対象とした牛突きが行われた。西郷の牛突き夏場所大会は当初、七月末に開催していたが、帰省客と観光客のために現在の八月十五日となった。

　隠岐の牛突きは昭和五十三年（一九七八）に国の記録作成等の措置を講ずべき無形の民俗文化財に選択された。これと前後するように、昭和五十年代には企業がオーナーとして牛を所有したこともあり、盛んに牛突き大会が行われた。

おわりに

　隠岐では牛突きをめぐる環境は常に変化している。現代では、農業を始めとする社会の変化で、牛の頭数もその牛を飼育する人も減っている。牧畑や使役牛という存在は現在の隠岐の島町にはない。しかし、牛主を始め、牛突きに関わる人々は、牛の売買や牛を対戦させることを通じて付き合いを広げ、現在でも牛突きをきっかけとした「親戚同様の付き合い」という関係が聞かれる。社会が変わっても変わらない、人と牛や、牛を通じた人同士の関わりがあり、それは牛突きを通じて現在に伝わる隠岐の姿でもある。

【参考文献】

「隠岐国闘牛の習慣」（『出雲大社農会報』第四号）出雲大社農会、明治三十二年
『島根県産牛馬沿革志』島根県内務省、明治三十三年
小泉憲貞『隠岐誌　一名踏査見聞録』私立境図書館、明治三十六年
『島根県史要』川岡清助、明治四十年
『隠岐乃家苞』隠岐島庁、大正五年
下村宏『呉越同舟』四條書房、昭和七年
手田寛「島をめぐる　隠岐」（『旅』昭和十年九月号）日本旅行協会、昭和十年
田邑二枝『隠岐の牛突』（増補版）隠岐郷土シリーズ刊行会、昭和三十九年
『西郷町誌　上巻』西郷町、昭和五十年

【注】

1　令和二年度は牛突き夏場所大会、八朔牛突き大会、一夜嶽牛突き大会とも中止となり、引分のみの大会も多くが中止となっている。
2　同誌の記述について、『隠岐の牛突き習俗民俗文化財調査報告書』では『増補島根縣産牛馬沿革誌』第六

回中國聯合畜産馬匹共進會（大正元年）の記述としたが、同誌の明治三十三年版に「出雲大社農會報（第四號）ノ記スツ所ハ左ノ如シ、隠岐國闘牛ノ習慣」として同様の内容を掲載しており、こちらが原本であると確認できた。

3　朝日新聞［検閲ゲラ］1948/5/13（原所蔵機関：メリーランド大学プランゲ文庫、静止画資料：国立国会図書館所蔵）

第4章

神々の声を聞く神楽1

大元神楽の概要と特質

中上　明

島根県石見地方の中～東部山間地域に伝承されている大元神楽。大元神という小さな地区ごとに鎮座する神をお祭りするための神楽で、数年に一度の特定の年に行われる式年神楽である。通常の石見神楽よりも大がかりなもので、独特の神事儀式の部分を備えている。神がかりして託宣を伺うという今では貴重な風習も保持してきた。この大元神楽の内容と特質について要点を押さえて説明する。

なかがみ・あきら

平成元年から島根県の公立高等学校教諭として勤務。平成五～九年度と十五年度～二十一年度の二度にわたり島根県教育庁文化財課の古代文化センターと県立古代出雲歴史博物館に勤務した。平成二十一年度末に古代出雲歴史博物館にて企画展「島根県の神楽―芸能と祭儀―」を主担当として開催。現在、島根県立浜田高等学校定時制通信制に教諭として勤務。

著書は、島根県古代文化センターの調査研究報告書として、『柳神楽採訪記』『三葛神楽』『井野神楽』など。共著として郷土出版社の『保存版　島根県の神楽』がある。

一　大元神楽とは

島根県西部の石見地方には小さな地区ごとに大元神《おおもとしん》という神様が数多く鎮座している。独立した大元神社となっているものもあるが、現在では多くは氏神社に合祀されていて外見としては分からないものも多い。神社境内の小さな祠に祀られているものもある。最も古い鎮座形態として今も残っているのは、神木に祀られ、それに注連縄や藁で作った龍蛇が巻かれているものである。こうした神木に祀られる大元神も石見山間部にはあちこちに残っている。ちょうど出雲地方などにおける荒神様とよく似た神格として考えられると思う。神の名称の由来・違いは何によるかは定かではないが、そうした比較的俗な神様として石見各地に存在している。

この大元様をお祭りするための神楽を「大元神楽」と

いう。荒神様をお祀りする神楽を「荒神神楽」と呼ぶのと同じことである。大元神楽は毎年の神社例祭での奉納神楽とは違い、特定の式年（儀式を行う年）に行う大がかりな神楽である。式年は十二支に則って、地区によって四年に一回、六年に一回、十二年に一回などとして決まっている（数え年でいうと五年に一回、七年に一回、等となる）。大元様をお祭りする神楽は浜田市や江津市域でも式年の「大元祭」として特別な演目を行って通常の神楽と区別して執行されたりはしている。しかし最も本格的で大がかりな「大元神楽」として今も伝承されているのは邑智郡と江津市桜江町（いずれも旧邑智郡）、浜田市旭町（旧那賀郡旭町）など、石見中～東部の山間部である。大元神楽は祭典の奉納（賑わい・娯楽）として行うのではない。翌朝までの一夜の神楽自体が大元神を祭るための祭式であり、同時に娯楽としての芸能部分も合わせ持っている。

　これら大元神楽伝承地の神楽舞はもちろん石見の神楽であるが、芸能の面からいえば速いテンポの囃子を持つ「八調子」の石見神楽とは異なり、古くからの地元流のゆったりとした「六調子」の囃子と舞を行っている。ちなみにこれら地域では自分たちの神楽を「石見神楽」と呼ぶことはあまりせず、「大元神楽」と呼んでいる。大元神楽が本式であり、毎年の奉納神楽はその略式版という意識が働いていると思われる。大元神楽では独特の神事儀式の部分があり、夜を徹して行う。この神事儀式部分を除くと通常の奉納神楽となり「夜ごろ舞」などと呼んでいる。「石見神楽の原型は大元神楽」と事典などで書かれているのはそのせいである。

二　大元神楽の施設など

大元神楽で用いる施設や用品をあげてみよう。まず藁で作った龍蛇を用いること。藁蛇《わらへび》と呼ばれる。託宣を得

藁蛇（託綱）と一束幣
（江津市桜江町市山の大元神楽伝承館）

神殿の全景（江津市桜江町小田の小田八幡宮拝殿内）
写真提供：島根県古代文化センター

天蓋（桜江町小田）
写真提供：島根県古代文化センター

る際に用いられることから託綱《たくづな》ともいう。単にタツと呼ぶこともある。

次いで、神殿《こうどの》あるいは舞殿《まいどの》と呼ばれる神楽舞台である。神楽の会場は神社の拝殿を使用することが今は普通である。二間四方の舞台（神殿）の四辺の長押には、四季を表す和紙を切り抜いて作った長押張りを飾る。また舞台天井には四角形の竹製の格子状の枠に和紙や柴などで飾り付けた大きな天蓋を吊す。これは普通の石見神楽でも必須の施設である。さらに大元神楽の際は儀式としての「天蓋」舞を行うことから、九個程度の小天蓋を大天蓋の中に仕込む。小天蓋はすべり竹の上を渡した綱で吊るされており、綱を引くと上下に動かせるようになっている。

また神殿の東方の柱に「元山《もとやま》」という大元神の神座《かむくら》の俵を、西方の柱には「端《は》山《やま》」というその他の小神の神座の俵を設置し、それぞれにミサキ幣という小幣がたくさん挿してある。これは江津市桜江町一帯での山の俵の設置様式だが、邑智郡邑南町などではまた異なる設置の様式である。

さらに、大元神楽の中心となる幣として、一束幣《いっそくべい》という大きな幣がある。神楽祭祀を司る注連主《しめぬし》（祭主の神職）と、場面によっては他の祭員が捧持して用いる。

他にも多くの神饌もの、湯立《ゆだて》の施設など、挙げればまだまだあるが省略する。

端山と長押張り、天蓋（桜江町小田）
写真提供：島根県古代文化センター

元山の俵（ 桜江町小田）
写真提供：島根県古代文化センター

三　大元神楽の神事儀式

大元神楽には独特の神事儀式の部分があると先述した。それ以外は数多くの採物舞《とりものまい》（儀式舞）や神楽能《かぐらのう》（着面の演劇舞）といった神楽舞からなるが、これらは一般的な「石見神楽」と特に異なるものではないのでここでは触れないでおく。神事儀式部分は神職が中心になって行い、神楽舞の部分は氏子の神楽団体が行うのが現在のやり方である。勿論、明治の頃までは基本的に神職が全てを行っていたのであった（牛尾三千夫の著述によれば大正十一〈一九二二〉年が最後の神職神楽だったという）。

数々の神饌が備えられた祭壇。藁蛇２頭と一束幣が安置されている。（桜江町市山飯尾山八幡宮）

大元神楽は神事だけでもなく芸能だけでもない。採物舞と神楽能が続く中に、核心となる神事儀式を適切な位置に入れ込んで一夜全体を構成しているものなのである。その神事儀式のうち代表的なものを次に挙げておこう。

鎮座地から大元神を勧請幣にお遷しして会場にお迎えすると、神殿《こうどの》（舞台）の奥に祭壇が組まれており、まずはその上に藁蛇と大元神の依られる一束幣を安置する。数々の神饌をお供えして一連の祭典が始めに行われる。

（一）「山勧請《やまかんじょう》」

神楽の始めに行う祭典儀式の一つで、注連主が果たすべき大役とされる。大元神を元山の俵に、その他の神々を端山の俵に勧請（招神）する儀式。注連主が一束幣を持って行う。

（二）「天蓋《てんがい》」

「降居《おりい》」ともいう。一夜の中盤頃に行う。九個の小天蓋（俗に吊り天蓋と呼んだりする）を三人で引き動かす。九個のうち五個には、東方・句々奴智命《くくぬちのみこと》、西方・金山彦命《かなやまひこ》、南方・伽久土命《かぐつち》、北方・水波乃売命《みずはのめ》、中央黄龍王《おうりゅうおう》・埴安比売命《はにやすひめ》の神名を記した青白赤黒黄の色紙が垂らされている。小天蓋は四角形だが、中央の小天蓋は万蓋《まんかい》と呼びこれだけは六角形である。東西南北中央の神々を呼び降ろす神歌を歌いつつ、順々に小天蓋を上下させていく。その後、囃子に合わせて全ての小天蓋を上下させ、やがて激しく前後左右に飛び回るように操り、神々が舞い遊ぶ様を見せる。ひとしきり小天蓋を遊ばせた後、また元に戻して終わる。「降居」の別名のとおり、舞殿に各方位の神々を舞い降ろす段と思われる。

「天蓋」（桜江町小田　小田八幡宮）
写真提供：島根県古代文化センター

この「天蓋」舞は、大元神楽だけのものではなく、他の石見神楽団体でも時々行われている。そこでもやはり毎年の例祭などで行うものではなく、式年の大元祭など特別なときに行うものとされている。三人ではなく一人で全ての小天蓋を操る団体も多い。

(三)「綱貫《つなぬき》」

「注連起《しめおこ》し」ともいう。それまで神殿《こうどの》外の祭壇にとぐろを巻いて安置されていた藁蛇が、初めて神殿の中に入る段である。藁蛇のとぐろをほどき、数人の祭員が蛇体を伸ばさせて手に持ち、神殿の中に入る。龍頭を持つ神職が先導役となり、まず東方元山を拝み、次いで西方端山を拝す。続いて南方・北方を拝しまた元山を拝していく。やがて藁蛇を激しくのたうつように神殿内を舞い巡らせる。ひとしきり巡り終わると、龍頭を元山の柱に、龍尾を端山の柱に巻いて括り付け、蛇体はまっすぐに伸ばして白木綿をもって大天蓋の枠竹の下に括りつける。こうして藁蛇は神殿を斜めに横切って身体を伸ばし、大天蓋の中に埋もれた状態になるのである。

「綱貫」(桜江町小田　小田八幡宮)
写真提供：島根県古代文化センター

一夜の神楽の終盤で行われるが、まだこの後いくつかの神楽舞が行われることが多い。

(四)「六所舞《ろくしょまい》」

この「六所舞」と次の「御綱祭《みつなまつり》」は一夜の最終で行われる神事儀式である。「六所舞」では、幣を持った先導役に続いて、数人の祭員が山の俵にあったミサキ幣を持って縦一列に並び、神歌を歌いながら元山・端山や各方位を拝んで回る。ここで託宣を求めない場合はこれで終わる。

本気で託宣を求める場合は、あらかじめ潔斎準備した託太夫《たくだゆう》を立てる。託太夫を列の中程に入れて行い、やがて託太夫を囲んで身体をもみくちゃに引き回し、神がかりさせる(「託《たく》がつく」という)。託がつかない場合は二人目、三人目の託太夫を同様にして神がかりさせる。神がかりするかどうかはその時次第である。つかない場合もあるという。

(五)「御綱祭《みつなまつり》」

「託舞《たくまい》」とも呼ばれる。重要な神事儀式としては最後の段である。すでに明け方近くになっている。天蓋に括りつけてある託綱（藁蛇）を白木綿を緩めて胸の高さくらいまで降ろす。降ろした託綱に山の俵にあった沢山のミサキ幣を挿し立てる。祭員数人が交互に向かい合って託綱に手を掛け、神歌と囃子に合わせて託綱を最初はゆっくりと前後に揺らしていく。

「御綱祭」（桜江町小田　小田八幡宮）
写真提供：島根県古代文化センター

注連主は神名帳を読み上げて地区内の神々を全て勧請する。その傍らで一人の神職が一束幣を捧げ持っている。注連主は散米（洗米を撒く）を行う。

「今年のこの月、この日のこの時、神楽の斎庭《ゆにわ》で神遊びしょう」の神歌が囃子方から繰り返し斉唱される中、囃子に合わせて祭員たちは大きく激しく託綱を揺らしていく。ひとしきり揺らした後、ミサキ幣を立てたまま託綱は再び天蓋に上げて、括りつけられる。

「御綱祭」が終わると、「成就神楽」として、元山の前に注連主以下の一同が正座し、祝言を大きく唱えて拝礼し、一夜の神楽は全て終了となる。

四　神がかりと託宣

大元神楽が有名であるのは、神がかりと託宣を保持してきた所が大きい。こうした貴重さから昭和五十四（一九七九）年に国の重要無形民俗文化財に指定されている。神がかりと託宣の様子については、自ら大元神楽を主宰する神主であると共に民俗学者・神楽研究者であった牛尾三千夫の著作が詳しい。

神がかりが起きる段としては、「六所舞」と「御綱祭」のときが多いようである。託太夫を立てた六所舞は、まさに神がかりさせるための舞であるかのように見える。御綱祭で綱を揺らしている最中に託がつくこともある。神がかりするとただちに託綱を降ろして神がかった人を綱に手をかけさせ、腰抱き役がその人を抱きかかえて跳び上がらないように押さえておく。そして一束幣を持った神職がその人についた大元神にお伺いをするのである。「向こう七年間の作柄はいかが」とか「火難水難はありますでしょうか」など、次の大元神楽までのことをいくつか質問すると、大元神は荒い息づかいの中から答えるのである。お告げを聞いた後、注連主は打ち返しの法をもって神返しを行い、神がかりを解く。

六所祭と御綱祭は連続性が強いようである。大元神楽であれば御綱祭は必ず行われるが、託宣を求めない場合は六所舞は行わないことが多い。

また「天蓋」舞の最中に神がかりすることもあり、昭和五十六（一九八一）年三月桜江町小田での大元神楽において、「天蓋」の最中に神がかりが起こった様が、早稲田大学演劇博物館製作のビデオ映像に記録されている。「綱貫」で神がかりさせることもあるという。

このほかにも思わぬ時に神がかりが起こることがあるといい、また託宣を求めても起こらないこともあるという。

私自身が大元神楽の神がかりを直接目にしたのは、一度目は平成六（一九九四）年、二度目は平成十八（二〇〇六）年だった。いずれも桜江町市山の飯尾山八幡宮での大元神楽において、六所舞で託太夫に託がついたのを拝見したことがある。神がかりが起こると大騒ぎになって周囲に人だかりがするためよく見えなくなってしまうものだった。本式の託宣（本託という）を得ようとすると準備段階からなかなか大変なことで、そうそうざらに神がかり・託宣を行えるものではない。これ以外は私もビデオ映像でしか目にしたことがない。

大元神楽の伝承地であっても神がかり・託宣を行わな

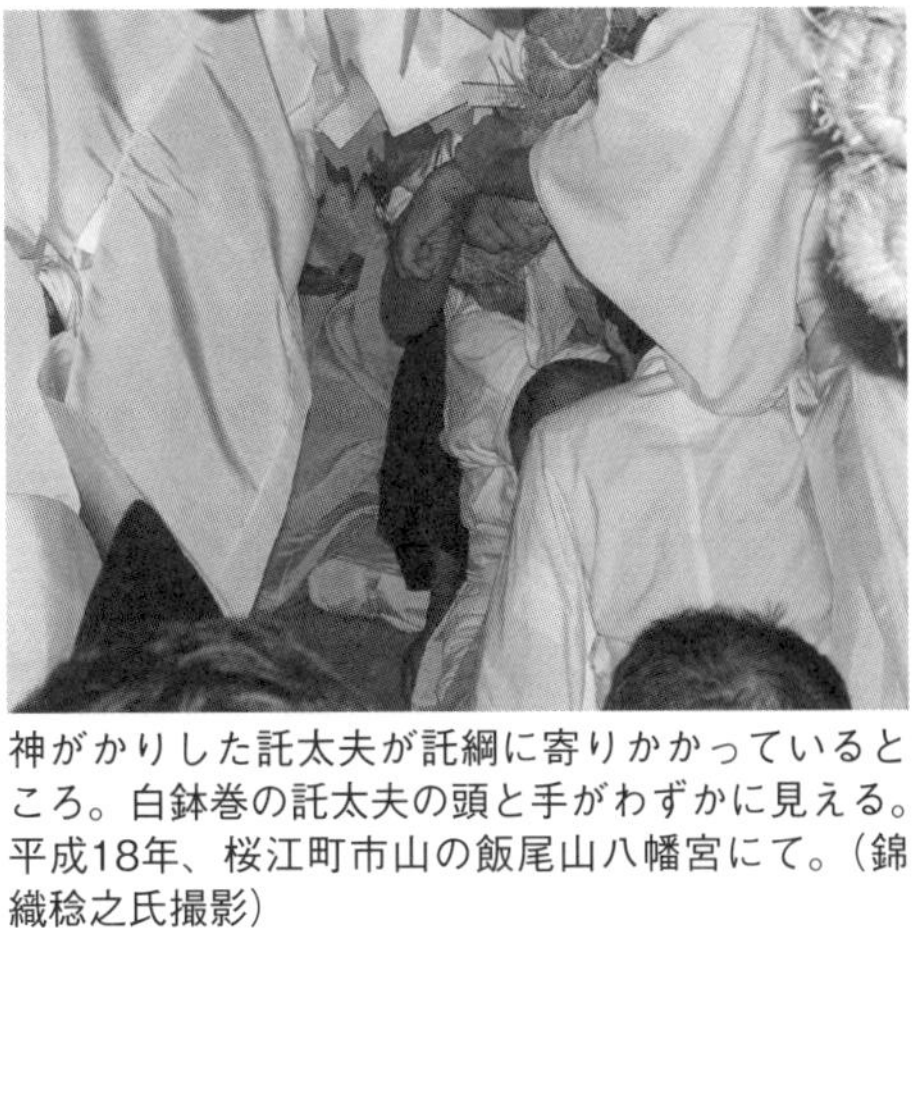
神がかりした託太夫が託綱に寄りかかっているところ。白鉢巻の託太夫の頭と手がわずかに見える。平成18年、桜江町市山の飯尾山八幡宮にて。（錦織稔之氏撮影）

い地域は多い。かと思うと浜田市旭町の木田、山ノ内などではよく本託があったというから（現況は不明）、土地柄や主宰する神職によっても状況の違いがあったのだろう。

神がかりや託宣は何も大元神楽に限られたものではない。備後・備中の荒神神楽にもあるし、安芸や周防・長門の神楽でも失神状態（本当にそうなるのか演じているのかは不明）となるような舞がある。中国地方の神楽のあちこちに残存した習俗と言えよう。

五　会場と神迎え・神送り

大元神が氏神社に合祀されていたり氏神社自体が大元神社であれば別だが、大元神楽は基本的に八幡宮や天満宮などの氏神社の祭りとは別のものである。大元神楽の度に仮設の会場を作ってそこに大元神をお迎えして行う、というのが元来の方式だったようである。邑南町矢《や》上《かみ》ではかつては田圃の中に完全に仮設の神殿《こうどの》と桟敷《さじき》を合わせた小屋を作っていたというし、同町中野でも賀茂神社境内の神楽殿を神殿として借りてその周囲に仮設の桟敷小屋をかける風習が残っている。仮設の舞台・設備を作って大規模な神楽を行う風習は、山陽方面の式年神楽でも見られることである。

そうは言っても毎度仮設小屋を作るのは大変なためか、いつの頃からかはよく知らないが氏神社の拝殿を借りて行うことが今では普通である。

大元神の鎮まる神木と会場が離れている場合は、神職が勧請幣にお遷しして会場までお迎えをする。桜江町小田では囃子方も含めた大規模な行列を組んで小田八幡宮までお迎えする。二、三人程度で小規模に行う所もあ

大元神の神木に巻き付けられた藁蛇と様々な御幣
（桜江町小田）
写真提供：島根県古代文化センター

る。一夜の神楽が終わると今度はお送りして神木にお戻しする。神楽に使用した藁蛇は神木に巻かれ、一束幣その他の幣もこれに差し立てておく。以後はそのまま触らぬようにしておく。藁蛇も年月とともにやがて朽ちていくが、そのままとしておくのである。

六 藁蛇とは何か

藁蛇は神迎えから神送りまで大元神に付き添い、大元神楽の中で重要な存在なのではあるが、これは大元神そのものではない。大元神自体はあくまで御幣や元山に依っていらしゃるのであり藁蛇とは別なものなのである。ではあの藁蛇（託綱）は何を表しているのだろうか。関係する神職に聞いてみても、「神の使いか」等として今ひとつ明確な答えを得たことがない。書物でもはっきりと示されたものがないように思う。藁で作った龍蛇は、実は中国地方の式年神楽にはよく登場するものである。石見の大元神楽だけでなく、備後・備中の荒神神楽や、周防の山代地方の山鎮《やまじめ》神楽など、やはり式年の大規模な神楽で登場する。

神楽研究者の牛尾三千夫は、同じく藁蛇を用いる備後・備中の荒神神楽について「祖霊加入の儀式ではないか」と考察している。この一帯の荒神神楽は数え年で一三年に一度、三三年に一度行うなど、年忌法要に通じる面がある。この後は私の推測・仮説でしかないが、あの藁蛇とはまだ浄化されきっていない死者の新霊を表すのではないかと考えている。前の式年神楽以後に地区内で亡くなった人の霊魂を集合的に表しているのではないか、と。新霊を式年の神楽によって浄化・昇華させ、さらにその後年月を経ることで、祖先の霊である大元神や荒神に加入・同化させていく意図なのではないかという推測である。藁の龍蛇の姿は神というほどに洗練されたものではない。妄念を断ち切れない新霊の姿にこそ相応しい。やがて神木に巻かれた藁蛇が朽ちて姿を失っていくとともに大元神や荒神の中に一体化していくのではないのだろうか。現段階ではこれは私の推測でしかない。異論を持つ方もおられるだろう。はっきり主張するためには立証する作業が必要であるがまだ何も出来てはいない。

ともあれ、民俗芸能研究の上の定説として、大元神楽や荒神神楽などが中世後期に修験山伏たちにより持ち伝えられたもの、として考えると、こうした式年神楽の背景にある今とは大きく異なる宗教的感覚が思い浮かばれるのである。

【参考文献】

邑智郡大元神楽保存会『邑智郡大元神楽』邑智郡桜江町教育委員会、昭和五十七年（一九八二）
牛尾三千夫『神楽と神がかり』名著出版、昭和六十年（一九八五）
島根県邑智郡大元神楽伝承保存会『大元の神々―大元神楽鎮座地調査報告書―』平成六年（一九九四）
邑智郡大元神楽伝承保存会『伝承大元神楽』平成十四年（二〇〇二）

出雲地方の「悪切」神事

石山祥子

出雲神楽の演目の一つである〈悪切〉は出雲一帯で広く舞われ、儀式舞の「七座神事」と面を付けて舞う神楽能「神能」のどちらにも分類される演目として知られている。これまでの研究では、西日本各地の神楽との比較から〈悪切〉の原初的形態が考察されてきたが、本稿では今日まで伝わる〈悪切〉をともなう祭礼行事や神事を通して、出雲神楽の特色について考える。

いしやま・さちこ
一九八〇年、大阪府生まれ。大阪大学大学院文学研究科博士後期課程修了。福井県立若狭歴史博物館を経て、現在は島根県古代文化センター専門研究員。専門は民俗学。
【編著書・論文】「山口県阿武郡北東部の石見神楽台本について」（『山陰民俗研究』17号、二〇一二年）、『佐陀神能民俗文化財調査報告書』（共著、松江市、二〇一二年）、『山・鉾・屋台の祭り研究事典』（共著、思文閣出版、二〇二一年）等。

はじめに

出雲地方で伝承されている神楽は、一般に「出雲神楽」と呼ばれ、現在約九〇の団体が活動している。出雲神楽における特色のひとつは、面を付けずに刀や榊などの採物《とりもの》を手にして舞う儀式的な舞の「七《しち》座《ざ》神事《しんじ》」、記紀神話や伝説などを題材に、面を付けて舞われる「神《しん》能《のう》」、猿楽能《さるがくのう》（能楽）から取り入れた祝言的な演目〈式《しき》三番《さんばん》〉という三種類の舞で構成される点で、「七座神事」→〈式三番〉→「神能」という構成は、十七世紀半ばにはすでに成立していたことが史料からうかがえる。

このうち、神能は江戸時代初め頃に佐陀大社（現在の佐太神社。松江市鹿島町佐陀宮内）の神官が京都で習い覚えた猿楽能の様式を取り入れたものと伝えられる。近世の佐陀大社は、出雲国内一〇郡のうちの三郡半（島根郡・秋鹿郡・楯縫郡・意宇郡西半）の神職や巫女を支配下におく影響力の大きな神社で、残る六郡半は杵築大社（現在の出雲大社）が支配していた。

旧暦八月二十四・二十五日（現在は九月二十四・二十五日）に行われる「御座替祭《ござかえさい》」には、支配下の神職や巫女が集まり、奉仕していた。こうして、佐陀大社で整えられた新様式の神楽は出雲各地に広まったと考えられている。

江戸時代の佐陀大社で舞われていた一連の神楽は、明治期以降には神職に加えて、地元の氏子や若者にも伝えられ、今日では「佐陀神能《さだしんのう》」の名で知られている。

さて、今回取り上げる〈悪切《あくぎり》〉は刀を手にして舞う勇壮な一人舞である。直面の舞い手による採物舞であるため、七座神事に属するように見えるが、神楽団体によって七座神事にも神能にも分類され得る扱いを受け、佐陀神能の場合には「番外」曲として扱われる。

神楽団体によって〈悪斬〉、〈悪魔切〉など、その名称はまちまちだが、本稿での表記は〈悪切〉に統一し、特定の神楽に言及する場合に限り、その神楽を伝承する団体での名称を用いる。

〈悪切〉の伝承範囲は、出雲地方周辺では石見東部の大田市や邑南町、広島県の旧高田郡（現在の安芸高田市）や旧比婆郡（現在の庄原市高野町・比和町）など、いずれも出雲神楽の影響が指摘されている隣接した地域に限定される。

つまり、〈悪切〉は出雲地方一帯とその周辺で伝承されている特徴的な演目である一方で、七座神事と神能いずれの範疇にも収まらない例外的な演目であるということになる。さらに、今日の出雲地方では〈悪切〉は大漁や厄除け、病気平癒などの願主の求めに応じて行う祈祷の舞として舞われる事例も見られる。

このように出雲神楽における〈悪切〉の立ち位置は、少々特殊なのである。そこで、本稿では主に出雲東部における〈悪切〉をともなう祭礼行事や神事を事例として取り上げ、出雲神楽の特色について考えてみたい。

一　祈祷の舞としての七座神事

（一）江戸時代の史料にみる七座神事

「悪切」という語は、十八世紀後期から史料に登場する。当時から七座神事の最後や神能の冒頭に置かれる境界線上の演目だったようだが、江戸時代に今日と同様に祈祷の舞として行われていたかどうかは定かではない。

その代わりに、江戸時代の出雲において祈願に応じて舞われた事例が確認できるのが、「七座神事」である。

出雲神楽における三種類の舞（七座神事・〈式三番〉・神能）のうち、七座神事は舞をともなう神事として捉えられてきた。

「七座」神事と言っても、その演目が七座（種）に統一されているわけではない。七座神事に含まれる演目の数や順序は、団体や時代によっても異なる。

しかし、数種類の儀式的な舞の組み合わせを「七座神事」や「七座」などと総称し、神能に先行して舞う形式は出雲全域で定着している。

今日では例祭や遷宮などの式年祭（数年に一度の周期で行われる祭）において、神楽を行う場所やその場に集う人々の穢れを祓い清め、神を迎える目的で執行される儀式的な舞として位置付けられるが、江戸時代には、臨時の祭礼や神事で行われた事例も、いくつか確認されている。

例えば、美保神社（松江市美保関町美保関）が所蔵する延享五年（一七四八）に行われた雨乞い神事の次第には、「御祈祷祈雨秘祭」（詳細は不詳）につづいて、「七座御神事」として八演目が列挙されている（表1）。降雨を願って行う儀礼である「祈雨《きう》」が旧暦七月に行われていることから、多くの水を必要とする稲の生育期に降雨が少なかったために臨時に行われた祈祷だったと考えられ、その中で「秘祭」とともに七座神事が行われている点に注目したい。

次に、神門郡仮宮《かりのみや》村（現在の出雲市大社町杵築北仮之宮地区）に伝わる「延暦弐年　仮宮村日記控　甲未正月」という史料の中から少し長いが、一部引用して紹介する。

> 酉（享保二年）の四五月より戌の六七月迄、仮宮計にて死人九十人計と相見へ申候。大宮にて六ヶ村より七座之神楽、壱ヶ村より四十め宛出し米五俵買、月番殿鳥屋尾取次を以執行有之候。其外大宮にて両社中被出、千度祓有之候。是にも壱ヶ村より廿目程家出し両社中衆賄申候。地下にても百万返も念仏安養寺の庭とてうな屋勘左衛門庭と二度有之候。扨亦潮音寺にてせんぼう、安養寺にてせがき、荒神之社にて湯立神楽、天王様にて御供揚ケ申候。凡物入五百目も入申候。其上竈々にての物入大分之祈念事に御座候。其年は日本国共にはやり煩にて、大分人死申候由に候。仮宮百軒計かまどの内、漸に拾四五軒煩不申候家有之、残は煩申候。（杉谷正吉「仮宮村

表1　江戸時代の役指帳にみる七座神事の構成と〈悪切〉の位置

和暦（西暦）	「史料名」神社名（所在地）	1	2	3	4	5	6	7	8	9	10	11	12	出典
延享5年（1748）	「延享今年辰初秋於當社祈雨神事次第式」美保神社（松江市美保関町美保関）	初囃	劔儛	散供	御座	清女	勧請	八乙雲	手草	—	—	—	—	
明和7年（1770）	「雲陽神門郡佐木浦佐木社七座御神事正定」伊奈西波岐神社（出雲市大社町鷺浦）	入拍子	榊舞	劔舞	潮清	御座	勧請	八乙女	太諄辞	手草	悪切	柴叟	（以下略）	錦織、2011年
寛政元年（1789）	「神門郡見々旬村惣御崎社上葺正遷宮神事式役指正定」御崎神社（出雲市見々久町）	座鎮	劔舞	潮清	御座	勧請	八乙女	太諄辞	手艸	悪广切	榊祭	（以下略）		錦織、2009年
天保15年（1844）	「八幡社正遷宮正定」温泉郷八幡宮（大田市温泉津町湯里）	入奏	斯寶	劔舞	賢木	御座	手草	八童女	悪切	切目	（以下略）			錦織、2015年
安政2年（1855）	「風水大明神正遷宮夜神楽正定」風土神社（出雲市佐田町原田）	剣舞	潮清目	御座	勧請	八乙女	太祝詞	幣舞	手艸	注連行事	悪切	榊祭	（以下略）	牛尾、1985年
万延元年（1860）	「頓原町恵比須大明神式年神楽社役正定記」恵美須大明神（飯石郡飯南町頓原）	入拍子	塩清目	剣舞	呉坐	言志	勧請	真榊	八乙女	祝詞	手草	悪切	式三番	中上、2009年

※太線より左が「七座神事」に属する演目

表2　主な現行の出雲神楽における七座神事の構成

神楽の名称（所在地）	七座 1	2	3	4	5	6	7	8	9	備考
佐陀神能（松江市鹿島町佐陀宮内）	剣舞	散供	清目	御座	勧請	八乙女	手草	—	—	〈悪切〉、〈山神祭〉は番外
大原神職神楽（雲南市など）	清目	茣蓙	撤供	手草	勧請	陰陽剣舞	悪切	—	—	〈山神祭〉は神能に分類
見々久神楽（出雲市見々久町）	塩清目	湯立	四方剣	剣舞	茣蓙ノ舞	祝詞	八乙女	—	—	〈山ノ神〉は神能に分類され、後段で剣舞（悪切）が舞われる。
槻の屋神楽（雲南市木次町湯村）	清目	手草（真）	手草（連）	茣蓙	勧請	剣舞	山神祭	—	—	〈山神祭〉後段で〈悪切〉が舞われる
奥飯石神職神楽（飯石郡飯南町など）	入申志	塩清め	榊舞	剣舞	茣蓙舞	神勧請	八乙女	手草	芝佐悪切り	

※ここに挙げた七座神事の順序は必ずしも一定ではなく、一部順序が入れ替わる演目あり。

日記控」『大社の史話』二四号、大社史話会、一九七八年、九頁　※括弧内は引用者注。なお、読みやすさを考慮し適宜、読点・句読点等を加えた。以下の引用文も同じ。）

享保二年（一七一七）春ごろから、仮宮村を含む近隣の村々では疫病が流行し、翌三年夏までに仮宮村だけで九〇人が亡くなり、村内の一〇〇軒のうち家族が発病しなかった家は一四、五軒に過ぎなかったという。一年以上つづいた疫病流行下で、「千度祓《せんどばらい》」や「百万返《ひゃくまんべん》（遍）」、「せんぼう（懺法）」、「湯立神楽」などの神事や仏事を近隣六ヶ村が費用を出し合い行ったことが書かれている。その一つとして、七座神事のことと思われる「七座之神楽」が執行されている。

右に挙げた神事や仏事が、いつ頃どのような目的で行われたのかまでは史料から読み取れない。しかし、疫病退散や清め、死者への追善などが目的だったと推測される。

最後に紹介するのは、幕末の大原郡神原村（現在の雲南市加茂町神原）の事例である。神原村の北部には、斐伊川の支流である赤川が流れる。当時の赤川は神原村内で蛇行しており、住人は水害に悩まされていた。そこで、安政三年（一八五六）から五年にかけて赤川の付け替え工事が行われたのである。

この工事が無事完了した安政六年（一八五九）の記銘がある棟札の全文が、『加茂町史考資料篇』（一九五七年）に収められている（棟札の実物は現存せず）。工事の経緯が記された棟札裏面は、次の通りである。

> 大原郡神原郷に横山有り。加茂川筋大回り水捌不宜、地低所村々水害強、為除水害横山切開、致川違可然由、郡村へ御触あり。然処、右横山は格別の神跡にて御神慮も恐多旨、庄屋・中林喜左衛門、年寄・山田喜平太より十一ヶ村同役中へ申談、（中略）此度取懸り候前に、地神・山の神の祭を致し、地神奉慰神慮を直し候而、可取懸与被仰出に付、同十月七日奉地神・山之神・竜神勧請、於八口社ニ七座御神楽並神能十二番祈〇地低所十一ヶ村之社家外に幣下を添、以上社家十六人を以執行成就（以下略）
>
> （中林季高『加茂町史考資料篇』加茂町史考頒布会、一九五七年、三五一頁）

工事に際し、「横山」という山を切り開く必要があったが、横山が「格別の神跡」とされていたため、安政三年十月七日に地神・山の神・竜神を勧請し、「七座御神楽」と「神能十二番」が神職一六名によって行われたことが記されている。

文中の「八口社」は現在の八口《やぐち》神社（雲南市加茂町神原）に相当する。この時、八口神社に勧請された三神（地神・山の神・竜神）は、工事完了後に横山の山頂に遷され、「横山三社大明神」として祀られた（中林季高『加茂町史考』加茂町史考頒布会、一九五六年、六六〜六七頁）。

このように、安政三年に「八口社」で行われた「七座御神楽」、すなわち七座神事は工事の安全を願い、さらに「格別の神跡」である横山を鎮めることを目的に特別に行われたと推測される。

ここまで、江戸時代の出雲地方で行われた三つの七座神事の事例を紹介してきた。雨乞い、疫病鎮め、工事の安全とそれぞれ目的は異なるが、いずれも定期的に行われる祭礼（例祭や式年祭）ではなく、当時の人々や共同体が直面していた問題を解決するために臨時に執行された点が共通する。

科学技術や医療が現代よりも脆弱だった時代、人々は問題の解決や事態の好転を図るひとつの手段として、神仏に祈りを捧げた。こうした状況下で舞われる七座神事は、祈願に応じて執行される舞をともなう神事としての役割を担っていたと考えられるのである。

（二）小伊津の神楽

今日では、七座神事が祈祷目的で舞われることは稀である。例祭などでも七座神事の全演目が上演されること自体珍しくなりつつある。

しかし、祈祷の舞としての七座神事の命脈は決して途絶えたわけではない。「小伊津《こいづ》の神楽」は、島根半島の日本海側に位置する出雲市小伊津町（旧平田市）で年に一度だけ奉納される神楽である。現在は地元の子供らが舞い手となっているが、かつては青年会の若者によって舞われていた。

歳徳神を迎えた当屋（現在の会場は自治会館）で行われる神楽であるが、神能は舞われず、七座神事のみが舞われる。その内訳は、〈入申〉・〈潮清め〉・〈四人舞〉・〈二人舞〉・〈一人舞〉・〈恵比須舞〉・〈祝詞〉・〈茣蓙舞〉・〈悪切り〉の全九演目である。現在は夜八時頃から深夜

図1　小伊津の神楽の〈悪切り〉

十二時頃まで行われるが、以前は九演目を舞い終えた後、祈願者だけが残り、もう一度初めから七座神事を舞い直していたという。

　正月二日の夜、集落内の人々が当屋に詰めかけ、時おり客席からは舞い手を賞賛する「褒《ほ》め詞《ことば》」という口上が述べられたり、祝儀が投げ込まれたりするなど、にぎやかに進行する。しかし、大漁や航海安全などを祈願する願主のみで行われる二巡目の七座神事は、褒め詞が掛けられることもなく、厳粛な雰囲気の中で舞われたそうだ。

　このように小伊津の神楽は、祈祷の舞としての七座神事の名残を留める数少ない事例であるが、その代わりに、出雲地方で広く行われている祈祷の舞こそが〈悪切〉なのである。

二　〈山の神〉と〈悪切〉

〈悪切〉について述べる前に、〈山の神〉という演目について少し触れておきたい。出雲神楽の〈悪切〉は単独で舞われる場合と、〈山の神〉という演目の後段に組み込まれる場合とに分かれる。〈山の神〉は、〈山神祭《さんじんさい》〉や〈香具山《かぐやま》〉などとも言われ、出雲全域で広く見られる演目である。その名の通り、山の神が登場する。この演目も〈悪切〉同様に七座と神能両方に分類される特殊な扱いを受けているが、〈悪切〉とは異なり、次のような筋書きを持つ。

（1）両手に柴（榊）を持った直面の人物が登場し、舞を舞う。

（2）直面の人物が舞台の隅に控えていると、面を付けた山の神が現れ、舞を舞う。

（3）山の神は自分の山の柴が盗られたことに気付き、直面の人物から取り返そうとし、直面の人物との間で攻防戦が繰り広げられる。

（4）山の神に捕らえられた直面の人物は、自分が天照大神に仕える春日大明神であると正体を明かし、天の岩戸に隠れた天照大神を外に誘い出すために、真榊が必要であると述べる。これを聞いた山の神は春日大明神に柴を献上し、その代わりに春日大明神から宝剣を与えられる。

（５）春日大明神は退出し、宝剣を手にした山の神が〈悪切〉を舞う。

図２　宇那手神楽（出雲市宇那手町）の〈山の神〉

筋書きや役柄の呼称は、神楽団体ごとに違いがあり、右はあくまでも一例だが、構成は大きく分けると（１）〜（４）が前段、（５）が後段となる。後段の〈悪切〉では、山の神が面を外して舞う場合もある。

（１）〜（５）の流れだけを追うと、ストーリー展開があり、〈山の神〉は神能に分類されて良さそうなものだが、七座神事の中に含まれる状況に注目し、この演目の原型について考察したのが、民俗学者の石塚尊俊（一九一八〜二〇一四年）であった。石塚は「山の神出現の神楽」（『山陰民俗』二七号、一九七六年）という論文の中で、〈山の神〉が神能的な要素を備えながらも、他の鬼退治物とは扱いが異なることを指摘した上で、石見神楽の〈山の大王〉や津野山神楽（高知県）の〈山探し〉、米良神楽（宮崎県）の〈柴荒神〉など、西日本各地の〈山の神〉に似た構成の演目と比較検討し、左のような共通点を見出した。

・山の神が現れる直前に、直面の人物（一〜二名）による採物舞があり、これに応じて山の神が登場する。

・山の神と直面の人物は問答をし、山の神は丁重にもてなされ、帰って行く。

現行の出雲神楽では、岩戸開きの神話に沿った筋書きを持つが、右の点に留意して〈山の神〉の構成を見直すと、次の三つに区切ることができる。

（Ⅰ）直面の人物による採物舞

（Ⅱ）山の神の出現と直面の人物との問答

（Ⅲ）山の神の剣舞

先に取り上げた石見や津野山、米良などが保持する類似演目には、（Ⅰ）に対応する舞は含まれていない。

しかし、石見神楽の場合には〈手草《たくさ》〉、津野山神楽では〈二天《にてん》〉、米良神楽では〈荘厳《しょうごん》〉という直前の演目が直面の採物舞、すなわち（I）に相当する。石見神楽の〈山の大王〉は直面の人物と山の神によるコミカルな問答が中心で舞はないが、演目名として「手草後段」という別称が伝わっており、対をなす演目だった痕跡があると石塚は述べている。

出雲神楽でも、〈山の神〉の一つ前に七座神事の〈手草〉を舞うところが見られる。江戸時代の役指帳《やくざしちょう》（神事や神楽の配役表）からも、その傾向が見て取れるだろう（表1）。

ここまで述べてきたように、出雲神楽の〈山の神〉と〈悪切〉が七座神事と神能両方に分類される両義的な演目である点、西日本各地の神楽と同じく、直面の採物舞〈手草〉と山の神の出現〈山の神〉が一対をなす点を考え合わせると、かつては周辺地域同様、単純な採物舞と、その舞に誘われる形で登場する山の神との問答と舞という組み合わせだったものが、出雲では岩戸開きの神話に沿って再構成された〈山の神〉に変化し、後段の〈悪切〉だけで単独で舞われるのも、独立した演目だったころの名残と考えられるのである。

このように、〈悪切〉は出雲神楽の中で特殊であるだけでなく、佐陀神能成立以前の神楽の痕跡を留めた演目であることは、石塚尊俊をはじめ、岩田勝らによっても指摘され、近年では梅野光興氏によって台本の詞章などからも検討されているが、本稿では〈悪切〉の原初的形態ではなく、出雲地方に定着した後の〈悪切〉が担ってきた役割について、ひきつづき考えたい。

三　松江市域における〈悪切〉について

（一）史料にみる〈悪切〉

史料上、演目名として「悪切」という語が初めて登場するのは、伊奈西波岐《いなせはぎ》神社（出雲市大社町鷺浦）所蔵の明和七年（一七七〇）「雲陽神門郡佐木浦佐木社七座御神事正定」である。

この史料には、七座神事や神能の舞い手を勤めた神職の名前も明記されている。表1にも示したように、「悪切」は七座神事の後、神能の冒頭で舞われている。史料には神職一名の名も記され、現在と同じく一人舞だったと推測される。万延元年（一八六〇）の事例のみ、七座神事の中に〈悪切〉に相当する演目を含むが、七座神事の最終演目に「手草（舛）」があり、その後に〈悪切〉が舞われる点は共通する。

しかし、江戸時代以降の史料に見られる〈悪切〉が、当時どのような目的で舞われていたのかについては、今のところ不明である。

現行の出雲神楽でも、表2のように〈悪切〉を七座神事、神能のいずれに分類するかは定まっていない。佐陀神能のように番外曲とするところもあるが、〈悪切〉、〈山の神〉のどちらも、例祭などで舞われるポピュラーな演目である。とくに、〈山の神〉の前段の山場である山の神と直面の人物による柴の争奪戦はユーモラスな動きがつづき、盛り上がる場面である。

その一方で、次に紹介するように、松江市域では、〈悪切〉が祈祷の舞として舞われる事例が見られる。

(二)〈悪切〉をともなう神事について

出雲地方で広く舞われる〈悪切〉は、一人舞の剣舞である。神楽団体ごとに多少の違いはあるが、〈悪切〉単独で舞う時は、舞い手は面を付けずに出る場合が大半である。

〈悪切〉の概略は次の通りである。舞い手は最初に洗米を撒いて舞座を清め、つづいて囃子方と問答を交わしながら、東・西・南・北・中央・黄龍（地）といった方角に向かって、刀で斬り払う所作などを繰り返す。終盤に近付くにつれて、舞は徐々に激しくなり、舞い手が途中で襷掛けをする場合もある。約二〇〜三〇分と比較的長い舞であり、体力の消耗も激しいため、〈山の神〉の後段として舞う際には、後段のみ面を外したり、前段と後段で舞い手が交替したりすることも珍しくない。

①日御碕神社（松江市美保関町笠浦）例祭の「悪斬神事」

日御碕神社の「悪斬神事」は、毎年十月九日に地元の日御碕神社例祭で佐陀神能保存会によって行われる。令和元年（二〇一九）の場合は、七座神事〈清目〉、神能〈恵比須〉につづき、最後に〈悪斬〉が舞われた。

〈悪斬〉の途中で、悪斬役と籔取《どうとり》（大太鼓役）が問答しながら、剣舞が舞われる。問答の冒頭では、各方角に対する問答と剣舞が繰り返される。ここまでは、通常の〈悪切〉と同じだが、この後に笠浦地区の氏子や地区外に在住する祈願者（願主）の氏名が、宮司によって読み上げられる。氏名を呼ばれた願主は前に進み出て平伏

図3　日御碕神社の「悪斬神事」

し、悪斬役はその頭上を刀で斬り払ったり、突いたりといった所作をする。一度に三〇名程度の名前が読まれ、その度に問答と舞が繰り返される。令和元年の場合は八回行われた。

問答の一部

　※願主の氏名読み上げの後

悪斬「右それぞれの願主の身の上において悪ありや。」
蓼取「右それぞれの願主の身の上において悪なし。」
悪斬「風難火難険難水難病災もろもろの災いありや。」
蓼取「諸々の災い一切なし。」
悪斬「もしも」
※囃子が入り、舞が始まる。

この日御碕神社の「悪斬神事」と同様に、通常の〈悪切〉の中で願主の氏名が読み上げられる事例として、白潟天満宮（松江市天神町）の「悪切神事」や佐太神社（松江市鹿島町佐陀宮内）の「悪斬祈祷」などが挙げられる。

　毎年七月二十五日に催行される白潟天満宮の例祭は「天神さんの夏祭り」として親しまれ、二十四日の前夜祭の神輿渡御や露店などで賑わうが、二十五日夜に祈願者に対して本殿で「悪切神事」が行われる。〈悪切〉の舞と奏楽は松江市内の神職が参集して行う。

　前半の散米が行われた後、祈願者である個人や企業等の名前が読み上げられる。一度に四〇件ほどが読み上げられ、その後につづく問答は笠浦の事例とほぼ同じである。ちなみに、海沿いの集落で〈悪切〉が行われる際には、個人名に加えて船団名が読み上げられる場合もあるという。

　ここで取り上げた〈悪切〉は、単なる神楽舞ではなく、祈祷の舞として行われている事例である。祈祷の舞として〈悪切〉を行う風習は、松江市に隣接する雲南市大東町等で正月に行われる歳徳神行事でも見られる。ここでは、厄年にあたる男女が願主となって〈悪切〉が地元の神楽社中により執行される。

②須義《すぎ》神社（松江市美保関町菅浦《すげうら》）祇園祭の「悪切神事」

毎年七月十五日前後の日曜日に須義神社で行われる祇園祭は、地元では「祇園さん」と呼ばれ、この祭りの中で「悪切神事」が行われる。菅浦の悪切神事は、これまでに触れてきた神楽舞としての〈悪切〉と同様に、手にした刀で四方を斬り払う所作がある点は共通する。しかし、舞を伴わない点、さらに神職や神楽団体ではなく、地区内の特定の家の者が悪切役を勤める点で、これまでの事例と一線を画す。悪切神事以外の神楽も舞われない。

「祇園さん」は須義神社から出御した神輿が、地区内を練り歩きながら菅浦湾の砂浜に設けられた御旅所へ向かい、ふたたび神社へ還幸する行事である。悪切神事は、御旅所に安置された神輿の前で行われる。

悪切役は御旅所の神輿の前で拝礼した後、御神酒で鞘から抜いた刀を清め、浜に座る氏子の前に移動し、問答を行う。菅浦では、事前に氏子らによって決められた祈願内容が読み上げられ、その内容に沿って氏子と悪切役とが問答をする。奏楽や舞はなく、問答の合間に悪切役が刀で四方を斬り払う所作をする程度である。

図４　「祇園さん」の悪切神事

問答が終わると、悪切役は神事を見守っていた見物人の元に行き、神輿に立てかけられていた幣と刀を見物人の頭上に掲げながら回り、見物人は頭を垂れてこれを受ける。

最後に悪切役が神輿の前に幣を戻し、その刀を持ち直すと、その場で海と陸、東西南北それぞれの方角を向いて、問答と斬り払う所作を繰り返す。悪切役が「悪ことごとく立ち去れ」と唱えて、悪切神事は終わる。この間、約十分ほどである。

悪切神事が済むと、神輿は海に運ばれ、清められる。つづいて、頭人や区長なども次々と担がれ、海に投げ入れられる。その後、神輿が神社に還り、「祇園さん」の一連の行事は終了する。

令和元（二〇一九）年の「悪切神事」の問答（一部）

は、左のようなものであった。

氏子「菅浦に不良不作のおそれありー。」
悪切「不漁不作ことごとく斬ったりー。悪なーし。」
氏子「悪ありー。」
悪切「悪はまだあるか。」
氏子「ある。菅浦に消防団消滅のおそれあり。」
悪切「菅浦の消防団消滅の悪斬ったり。」
氏子「悪ありー。」
悪切「悪なーし。」
氏子「悪ありー。」
悪切「悪なーし。」
氏子「悪ありー。」
（中略）
悪切「海上安全。悪なーし。」
氏子「悪なーし。」
悪切「陸《おか》は豊作。悪なーし。」
氏子「悪なーし。」
悪切「東方に向かって悪なーし。」
氏子「悪なーし。」
悪切「西方に向かって悪なーし。」
氏子「悪なーし。」
悪切「南方に向かって悪なーし。」
氏子「悪なーし。」
悪切「北方に向かって、ことごとく悪なーし。」
氏子「悪なーし。」
悪切「悪ことごとく立ち去れ。悪なーし。」
氏子「悪なーし。」

菅浦の悪切神事がいつ頃からこのような形で行われるようになったかは不明だが、地元では流行病を刀で斬って治したという伝説にちなんだ神事と伝えられる。一時期、悪切神事は途絶えていたそうだが、今から三五年ほど前に地元の若者らで結成された「須義の子会」により復活して、今日に至る。

先に触れた神楽舞の〈悪切〉の口上は、ほぼ固定化されているが、「祇園さん」の悪切神事では前半の問答の内容は毎年改められ、現実に即した祈願内容である点、個人的な願い事ではなく、集落共通の問題や心配事が問答に反映されている点が興味深い。

〈悪切〉は、観ている方も身が引き締まる思いがする緊張感のただよう神楽舞だが、舞を伴わない菅浦の悪切神事では、主となる問答自体は集落が直面する切実な内容でありながら、時に笑い声もあがるほど和やかな雰囲気の中で行われる。

おわりに

ここまで、出雲神楽の一演目である〈悪切〉を中心に論じてきた。繰り返し述べてきたように、〈山の神〉とともに、〈悪切〉は七座神事にも神能にもなり得る特殊な演目として出雲神楽では扱われてきたが、〈悪切〉単独で祈祷の舞としての役目を担っていることについて、主に松江市域の事例から明らかにしてきた。現在のように〈悪切〉が主流になった時期や経緯、先行する七座神事との関連の有無については、ひきつづき検討したい。

今日では儀式的な舞である七座神事よりも、大蛇や鬼が登場する神能の方が、出雲神楽の一般的なイメージとして定着し、出雲神話などを題材とした郷土色豊かな芸能としても受容されているだろう。猿楽能の様式を取り入れ、発達した神能は、出雲神楽の特色のひとつではあるが、それは一面に過ぎない。

今回取り上げた〈悪切〉をともなう祭礼行事や神事以外に、出雲地方では依頼に応じて悪切祈祷を行う神社も存在する。言うまでもなく、こうした神楽は所願成就を期待する祈願者がいて初めて成立する。

出雲の人々と神楽との関わり方は、長い歳月の中で絶えず変化してきたと推測されるが、七座神事から〈悪切〉に形を変えながらも、祈祷を目的とした舞が伝承され、今なおこれを求める人々がいる点も、出雲神楽のひとつの特色と言えるのではないだろうか。

【参照文献】

石塚尊俊「山の神出現の神楽」『山陰民俗』二七号、山陰民俗学会、一九七六年
石塚尊俊『佐陀神能』佐陀神能保存会、一九七九年
石塚尊俊『槻之屋神楽』槻之屋神楽保存会、一九八〇年
石塚尊俊『出雲神楽』出雲市教育委員会、二〇〇一年
岩田　勝『神楽源流考』名著出版、一九八三年
牛尾三千夫『神楽と神がかり』名著出版、一九八五年
梅野光興「荒平・ダイバ・山の神：中四国の神楽の鬼の舞い」『中国地方各地の神楽比較研究』島根県古代文化センター、二〇〇九年
倉橋清彦編『奥飯石神楽梗概』塚原八幡宮、一九五九年

杉谷正吉「仮宮村日記控」『大社の史話』二四号、大社史話会、一九七八年
島根県古代文化センター編『大原神職神楽』島根県古代文化センター、二〇〇〇年
島根県古代文化センター編『見々久神楽』島根県古代文化センター、二〇〇一年
島根県古代文化センター編『大土地神楽』島根県古代文化センター、二〇〇三年
中上　明「奥飯石神職神楽古台本『出雲神代神楽之巻』翻刻と考察」『中国地方各地の神楽比較研究』島根県古代文化センター、二〇〇九年
中林季高『加茂町史考』加茂町史考頒布会、一九五六年
中林季高『加茂町史考史料篇』加茂町史考頒布会、一九五七年
錦織稔之「出雲市域における近世神職神楽の実例」『中国地方各地の神楽比較研究』島根県古代文化センター、二〇〇九年
錦織稔之「江戸中期、鷺浦における神職神楽について：明和七年役指帳の翻刻と分析」『大社の史話』一六八号、大社史話懇話会、二〇一一年
錦織稔之「石見銀山領邇摩郡における出雲神楽の広がり：温泉郷八幡宮旧社家竹内家文書の分析から」『古代文化研究』二三号、島根県古代文化センター、二〇〇九年
藤原宏夫「芸北神楽高田舞考」『中国地方各地の神楽比較研究』島根県古代文化センター、二〇〇九年

第5章

神々の声を聞く神楽2

巫女による託宣の形を伝える行法 隠岐神楽

……錦織稔之

隠岐は離島という地理的特性もあり、この地の神楽は出雲や石見のそれとはまた異なる様相を伝えている。隠岐の神楽がいつまでさかのぼるのかは定かではないが、遅くとも江戸時代中期には現行のスタイルが形作られていた。ここではその時代に焦点を当て、神楽を担っていた神職組織のあり方を探るとともに、現在では外形のみが伝わる巫女《みこ》による「神懸《が》かり」「託宣《たくせん》」の実態を、史料と照らし合わせながら描き出すことを試みたい。

はじめに

「神楽」と呼ばれる芸能は全国に分布する。国が重要無形民俗文化財に指定している三五件の神楽に限ってみても、北は青森県から南は宮崎県にまで広がっている。しかし、神座の前で演じる芸能という共通項を除けば、地域によりその様相は大きく異なっている。

宮中に伝承されてきた「御《み》神楽」を除き、広く民間に根付く神楽を「里《さと》神楽」と総称している。そしてその「里神楽」は、特に重要視されるものが何かを基準にして、「巫女《みこ》神楽」「湯立《ゆだて》神楽」「獅子《しし》神楽」「採物《とりもの》神楽」に大きく分けられる。島根の神楽は、手に持つ採物を重要視する傾向が強いことから、全国的な分類に当てはめると、「採物神楽」に含めて捉えられている。

本稿で取り上げる隠岐の神楽は、「採物神楽」に分類されるものの、巫女が果たす役割も大きく、その特徴的な様相は以前から注目されてきた。この道の先学者である石塚尊俊氏は次のように述べている[1]。

> 今日、中国・四国・九州地方においては、巫女舞といっても、もはや寥々《（りょうりょう）》たる状態でしかない。すなわち、特別大規模な神社ででもない限り、常時これを行うところはなく、あとは今日普通にいう意味での神楽の中でわずか

にこれを舞うところがあるという程度にしかなっていない。したがって、この地方で神楽の舞手といえば、今日ではまずどこでも男性だというのが常識となっている。

　ところが、この常識がひとたび近畿地方に入ると一変する。すなわち近畿地方では、今でも男性による執《(採)》物舞や、ましてや面神楽はほとんど見られず、神楽といえば獅子舞か、しからずんば巫女舞だというのが普通のこととなっている。（中略）

　ところがまた、この状態が近畿から東へ出るとふたたび変ってくる。すなわちまた男性を主とする神楽が見られ出し、巫女舞はあってもごくわずかという状態になってしまうのである。

（※中略〜この間に、伊予・五島・出雲神楽に見られる巫女舞について紹介〜）

　ところが、ここに隠岐神楽の場合を見ると、この点がまだきわめて古風である。（中略）ここではこの巫女の働きというものが、いまだに非常に重要な意味を持ち、むしろこれが神楽の推進上決定的な役割を果すものともなっているのである。


　このように、隠岐の神楽における巫女の果たす役割というものは、近隣他地域の神楽と比べると特徴的なほど際立って見える。残念ながら現在は失われているものの、神楽の核心とも言うべき「神懸かり」「託宣」を明治時代に至るまで担い続けていたのは偏に巫女であった。現在では、そこに至る過程の形だけが伝承されているが、それでも巫女の存在の大きさは決して小さくはなっていない。

　本稿では、隠岐における、特に江戸時代の神楽に焦点を当て、近年明らかになった神楽を担う「社家」と百姓身分の「神主」という、一見奇異にも映る実態を紹介するとともに、巫女が司った「神懸かり」「託宣」の実際を、史料に即しながら読み解いていきたい。

一　隠岐神楽を持ち伝えた人たち

（一）隠岐の「社家」についての通説

まずは、隠岐で神楽を担っていた人たちについて述べておきたい。隠岐神楽の前近代以来の伝統的保持者は「社家」と呼ばれる。「社家」とは通常は神職と同義だが、こと隠岐に限っては「神職ではない専業の神楽師」だと認識されてきた。これは石塚尊俊氏が唱え始めた説であり、現在まで定説のように広く理解されている。その説が提示された初見と思われる石塚氏の論考は、一九七三年刊行の『隠岐島の民俗』に収められており、そこで石塚氏は次のように述べている[2]。

隠岐島の神楽はもと社家神楽と称し、社家といわれる特定の家に限って相伝されるしきたりになっていた。社家とは通常には神主家を指すが、ここではそうでなく、いうなれば神楽師の意味である。通常の神主家はここでは社家といわれていない。

石塚氏によるこの認識は、その後、一九七六年刊行の『西郷町誌』（下巻）にそのままの形で転載された。さらに一九八九年に島根県教育委員会が刊行した『島根の民俗芸能』において、石塚氏が総論の「島根県の民俗芸能概説」の中で重ねて同様の見解を示したことにより、以後は定説と化して現在に至っている。筆者も副担当として関係した古代出雲歴史博物館の企画展「島根の神楽―芸能と祭儀―」でも、この理解のもとで次のようにパネルや展示解説図録を作成した[3]。

隠岐には素朴かつ古風な神楽が伝えられている。離島のためか隠岐神楽には県内の他地域とは異なる状況が多々見られる。

まず江戸時代までの神楽の担い手が独特である。出雲・石見では「神職神楽」であったが、隠岐では「社家」と呼ばれる人々が行う「社家神楽」であった。「社家」とは普通は神主家のことを指すが、隠岐ではそれとは違う神楽専門の太夫を指す。

島根県古代文化センターでは、二〇一五年度から三年間を掛け、テーマ研究「隠岐の祭礼と芸能に関する研究」を行った。筆者はその主担当として、隠岐に伝わる多くの中近世史料に当たり、「近世隠岐の「神楽社家」と神職組織」と題した論文をまとめた[4]。詳細はそこで述べているが、要は決して隠岐の「社家」が神職ではなかったなどということはなく、寛文五（一六六五）年の「神社条目」（いわゆる「諸社禰宜神主法度」）に則って神祇管領長上の卜部氏（吉田家）から神道裁許状を取得した、いわば当時公的に認められた神職であったことを確認した。

それでは、なぜ石塚氏は「社家」が神職ではないなどと誤認するに至ったのか。おそらくその原因は、隠岐で神社・社領を管理・所持する「神主」や「祢宜」の存在形態が、出雲や石見はもちろんのこと、少なくとも中国地方の各国と比べても、大きく異なっていたことにあったのだろうと感じている。それを次の項で述べる。

(二) 隠岐の「社家」と百姓身分の「神主」

宝暦九(一七五九)年八月、幕府は諸国諸藩に対し神社調査を命じている[5]。それを受け、松江藩も藩領内および預地《あずかりち》隠岐の神社調査を行っている。その隠岐における調査報告書である「隠岐国両嶋神社書上帳」は、宝暦十(一七六〇)年三月に隠岐郡代《ぐんだい》より松江へと提出された。同書は、その写の全文が『隠岐国神社秘録』に翻刻掲載されている[6]。同書に書き上げられた神社と、その神社の主管者をまとめると【表1】のようになる。全一二〇社のうち、受け持つのが「神主」であるのは二六人、「別当」が八寺で、残るは「宮守」である。ここで「宮守」として計上された人物は、名前を見ただけでも推測できるだろうが、百姓身分に当たる。

ここで同じ宝暦十年に神社調査の結果を提出した杵築大社の事例[7]と比較してみたい。杵築大社の千家・北島両国造家は、出雲国内の神門郡・出雲郡・大原郡・飯石郡・仁多郡・能義郡および意宇郡東半の、いわゆる「六郡半」の神社と神職を管掌していた。神社数は実に六一三社。そのうち、受け持つのが神職(「社司」「正神主」)であるのが六〇三社、神職と寺僧(「別当」「社僧」)が共同管理するのが一〇社で、百姓身分の者が主管する神社などは一社もない。

もちろん全国に目を向ければ、隠岐のように神社の主管者の大半が百姓身分という地域もないわけではないが、中国地方に位置し、しかも松江藩の預地でもあるという背景を考えると、やはり特異的な実態と思わざるを得ない。

さて、「隠岐国両嶋神社書上帳」の内容に話を戻すが、「神主」として計上された二六人について調べてみたところ、そのうちの二〇人は吉田家もしくは杵築大社両国造家から「神主」号ないしは「祠官」号の裁許状を受けた、いわば当時公的に認められた神職であることを確認できた[8]。残る六人についても、名前に官途名などがあることから、裁許状を有している可能性は高いと考えられる。これら二六人のうち、13・14の秋月和泉、28の秋月右近、34・35の宇野石見、45・46・47の和田掃部、

表1　宝暦10（1760）年「隠岐国両嶋神社書上帳」に登載された神社とその主管者

	所在地		神社名	主管者名	
01	海士郡24社	海士村	新宮権現	宮守	助太夫
02			諏訪大明神	宮守	武太夫
03		宇津賀村	宇津賀大明神	宮守	三太夫
04		豊田村	柳井姫大明神	宮守	利右衛門
05			大歳大明神	宮守	市助
06		知々井村	天満宮	別当	西福寺
07			熊野権現	宮守	三太夫
08			八幡宮	宮守	清十郎
09			渡八幡宮	宮守	善助
10		太井村	奈須大明神	宮守	源治郎
11			御碕大明神	宮守	又兵衛
12		布施村	熊野権現	別当	宝光寺
13			御碕大明神	神主	秋月和泉
14			稲荷大明神	神主	秋月和泉
15			八幡宮	宮守	徳兵衛
16		碕村	大峯社	別当	建興寺
17			三保大明神	宮守	助蔵
18			蛭子大明神	宮守	助蔵
19			帝釈天	宮守	徳兵衛
20			高田大明神	宮守	十兵衛
21		福井村	御藏大明神	宮守	仁左衛門
22			十二社権現	宮守	喜平太
23			日吉権現	宮守	吉郎兵衛
24			跡戸権現	宮守	清太夫
25	知夫郡13社	知夫里村	一宮大明神	宮守	吉重郎
26			渡大明神	宮守	徳兵衛
27		浦之郷村	由良姫神社	神主	真野丹次
28			森大明神	神主	秋月右近
29			山王権現	宮守	助四郎
30		美田村	焼火権現	別当	雲上寺
31			高田大明神	神主	宇野河内
32			八幡宮	宮守	八郎左衛門
33			大山大明神	宮守	八郎左衛門
34		別府村	六社大明神	神主	宇野石見
35			伊勢宮	神主	宇野石見
36		宇賀村	杉尾大明神	神主	宇野大和
37			済大明神	宮守	十太夫
38	越智郡32社	津戸村	花生大明神	宮守	金兵衛
39		都万村	八幡宮	神主	古木左門
40			高田大明神	神主	坪井主膳
41		那久村	壇鏡権現	別当	光山寺
42			峯津大明神	神主	安部将監
43			山王権現	宮守	久四郎
44			忌大明神	宮守	喜兵衛
45		油井村	国吉大明神	神主	和田掃部
46			三保大明神	神主	和田掃部
47			那智権現	神主	和田掃部
48		南方村	弁財天	神主	阿部杢之進
49			中言大明神	神主	阿部杢之進
50			那智権現	宮守	半四郎
51			天満宮	宮守	平左衛門
52			稲荷大明神	宮守	文八
53			徳照大明神	宮守	助之進
54		苗代田村	来成大明神	宮守	熊三郎
55		那久路村	妙見神社	宮守	佐兵衛
56		都万路村	山王権現	宮守	小三郎
57		小路村	熊野権現	神主	藤原左膳
58		郡村	熊野権現	神主	代　左京
59			山神社	宮守	定之丞
60		山田村	山王権現	宮守	杢右衛門
61		一宮村	一宮大明神	神主	大宮司
62		北方村	嵩大明神	別当	横山寺
63			八幡宮	神主	藤田薩摩
64			若王子大権現	神主	藤田薩摩
65			白尾大明神	宮守	善之丞
66		代村	北谷大明神	神主	斉加大膳
67		久見村	内宮大明神	神主	八幡将監
68		伊後村	熊野権現	別当	清雲寺
69			蛭子大明神	宮守	万三郎
70	周吉郡51社	西村	月下大明神	宮守	与吉
71			天月(日ヵ)神社	宮守	杢之進
72		湊村	天満宮	宮守	治郎左衛門
73		中村	月日社	別当	常楽寺
74			八幡宮	宮守	権之丞
75		元屋村	八王子神社	神主	榊原大藏
76		飯美村	白髭大明神	宮守	長兵衛
77		布施村	春日大明神	宮守	甚四郎
78		卯敷村	白髭大明神	宮守	弥次郎
79		大久村	八幡宮	宮守	金次郎
80			奈岐良大明神	宮守	与次兵衛
81			春日大明神	宮守	市兵衛
82			熊野権現	宮守	五兵衛
83			大日神社	宮守	喜十郎
84		釜村	森大明神	宮守	吉右衛門
85		犬来村	三保大明神	宮守	貞五郎
86			南張大明神	宮守	貞五郎
87		津井村	八幡宮	宮守	市右衛門
88			熊野権現	宮守	喜十郎
89		飯田村	八幡宮	宮守	長三郎
90		東郷村	八幡宮	神主	吉田内藏助
91			久瓊太神社	神主	村上大膳
92			浦宮大明神	宮守	市三郎
93		有木村	熊野権現	宮守	源内
94			妙見神社	宮守	半左衛門
95		国分寺村	八幡宮	神主	横地利馬
96			池畔大明神	宮守	五郎左衛門
97		原田村	山王権現	宮守	弥三郎
98			住吉大明神	宮守	文五郎
99			八幡宮	宮守	与四郎
100			物忌大明神	宮守	弥久治
101		上西村	八大龍王社	宮守	斧八
102		上東村	中琴大明神	宮守	太七郎
103		平村	牛頭天王	宮守	角兵衛
104			御瀧権現	宮守	定治
105		蛸木村	神嶋大明神	宮守	杢兵衛
106		加茂村	加茂大明神	神主	野津式部
107		箕浦村	姫宮大明神	宮守	定右衛門
108		岸浜村	厳嶋大明神	宮守	金右衛門
109		今津村	白鳥大明神	宮守	磯右衛門
110		西田村	山王権現	宮守	金右衛門
111		下西村	松尾大明神	宮守	祐七
112		惣社村	惣社大明神	神主	国造
113		矢尾村	天満宮	神主	吉岡丹正
114			国府尾八幡宮	神主	村上筑前
115			御碕大明神	宮守	平右衛門
116			日開山大明神	宮守	貞右衛門
117			正八幡宮	宮守	貞右衛門
118		目貫村	辨財天	神主	高橋豊前
119			諾浦大明神	宮守	徳左衛門
120		宇屋町	御碕大明神	宮守	治左衛門

※郡名以外の表記は、同書記載の表記に従った。

63・64の藤田薩摩、91の村上大膳、114の村上筑前、118の高橋豊前の八人の神主は、いわゆる神楽師とされてきた「社家」に当たる。

なお、114矢尾村国府尾八幡宮の神主村上家に関する神道裁許状類が一六点、寄贈されて現在隠岐の島町教育委員会の所蔵となっている。その中の最も古い裁許状は、「神社条目」が触れられる以前の明暦二（一六五六）年のものであり[9]、これは現在確認できた中では、隠岐で最古の神道裁許状でもある。その明暦二年の裁許状を受けたのは村上相模守高次で、その社職名は「祠官」である。それが、孫の村上相模守高任の代になると、正徳四（一七一四）年に「神主」号の裁許状を受けている。以後は代々「神主」号の裁許状を受け、幕末へと至る。

以上のことから明らかなように、神職ではない専業の神楽師とされてきた彼ら「社家」が、吉田家の神道裁許状を受けた公認の神職であったことは疑いのない事実である。石塚氏が述べた「隠岐島でも神楽師は原則として神主ではなかった。もっとも幕末ごろになると、この神楽師にして一社の神主を兼ねるものも出てきたが、それはやはり本来の姿ではなく、たまたま空席を生じたので襲ったというだけのものであったらしい。」などという言説は明らかに事実を誤認している。

これに対し、「隠岐国両嶋神社書上帳」で「宮守」とされた百姓身分の者たちだが、実は各村内では「神主」と呼ばれていた。同時代の文書や棟札等で、実に二一人についてそのことを確認できた。また、当人自身を確認できなくても、その人物の子孫などが「神主」と記されている事例を数え上げると、その総数は五〇社に及ぶ。さらに、判明した一八人は庄屋を、三人は年寄を務めている。つまり、庄屋役を仰せ付けられるような村役人層の百姓が、神社の主管者を務めていたことになる。実際、明治二（一八六九）年十二月に大森県の西郷出張所が神主と公文（旧庄屋）の兼勤を禁じる命令を出している[10]ことから、以前にはそれが常態化していたことが窺える。

それでは、隠岐ではどのような家筋の者たちが神社の主管者を務めていたのかだが、神社を勧請する際に中心的な役割を果たした家や、自らの土地を社地として提供したような家の者がその任に就いていた。そして、神道裁許状を得ているか得ていないかは問題ではなく、あくまで神社・社領を管理・所持しているかが基準であり、その主たる者が「神主」、それに次ぐ者が「祢宜」と呼ばれていた。

なお、出雲でも同じように百姓身分で神社・社領を管理・所持する者は存在した。ただし、そのような家は江戸時代では「本願」という位置付けになっていく。あくまで出雲では、「神主」は吉田家等の裁許を受けた公認の神職が務めていくことになる。

（三）江戸時代の隠岐の神職組織

前項で明らかなように、隠岐において、吉田家等の裁許状を受け、いわば正当な立場で祭祀に携わることができた神職は限られていた。それでは、彼ら神職はどのような組織を形作っていたのか。それを【表２】に示す。

まずは島前だが、幣頭《へいがしら》宇野大宮司家の下に四家が連なる組織が一つ。これら五家は、いわゆる「社家」とされてきた神職家である。その他、出雲の「一社一例」に相当するように、幣頭の配下ではなく、単独でそれぞれ島前代官や吉田家に直接つながる神職家が三家あった。

次に島後の神職組織についてだが、億岐国造家と忌部大宮司家が触頭《ふれがしら》として神職集団を束ね、隠岐郡代や吉田家と直結する体制が築かれていたことを確認できた。まず、億岐国造家の触下についてだが、村上家を幣頭とし、その配下に六家が連なる神職組織が存在するとともに、出雲で言う「一社立」に似た立ち位置で直接触頭につながる神職家も三家存在していた。

忌部大宮司家側については、幣頭菊地家が四家を幣下に持つ神職組織が含まれるとともに、それとは別に「一社立」的な神職家が多数存在していたことを確認できた。そのうち、吉田家から裁許状を得ていたことが確実なのは三家である。

島後の神職家のすべてが触頭の億岐国造家か忌部大宮司家の触下だったわけではなく、島前の幣頭宇野大宮司家と同様に幣下社家を抱えつつ隠岐郡代や吉田家に直接つながる幣頭古木家がいた。古木家の幣下には二家が連なっていた。また、「一社一例」的な位置付けだった榊原家も存在した。榊原家は寛文三（一六六三）年から文政十三（一八三〇）年に至るまで杵築大社両国造家から裁許状を受け続けていた[11]。

以上のように、同じように吉田家等から裁許状を受けた神職であっても、みんなが同格で横並びな組織になっていたわけではなく、家格の上下による階層や、統制のための組み分けがなされていた。おそらくそれは前時代にまでさかのぼる出自に起因すると思われるのだが、も

表2　江戸時代後期の隠岐の神職組織図

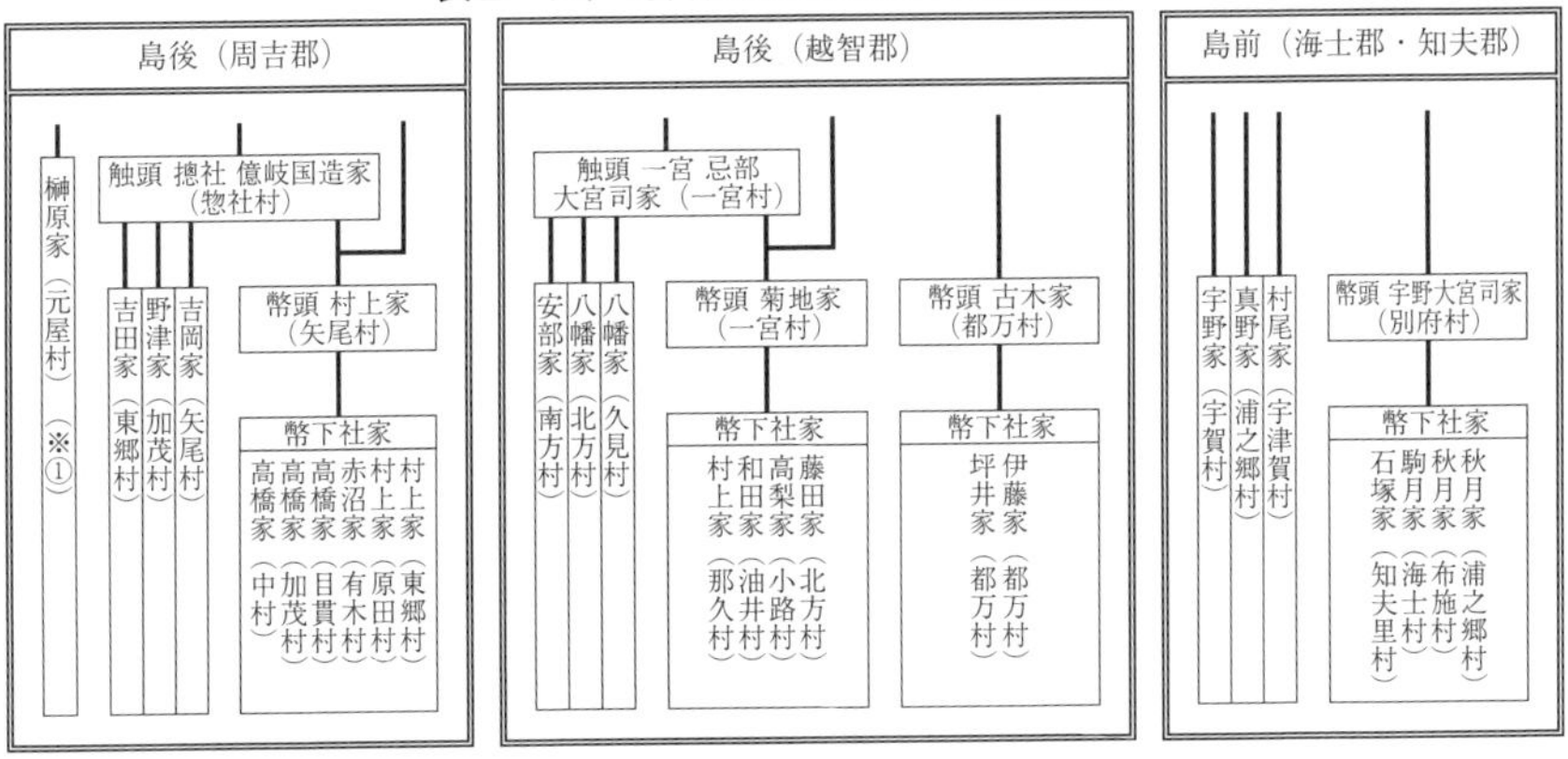

●対象時期は文化年間から幕末期を想定。
●線の最上位に松江藩の隠岐郡代・島前代官、また裁許状を発給する京都吉田家・杵築両国造家が位置する。
●触頭の配下でない神職家もあり、出雲の「一社一例」に類似。
●幣頭の配下でなく、触頭に直結する神職家もある。出雲の「一社立」に類似。
●（※①）の榊原家だけは杵築両国造家の裁許を受けているが、それ以外の神職家は京都吉田家の裁許を受けている。

表3　江戸時代後期の出雲の神職組織図

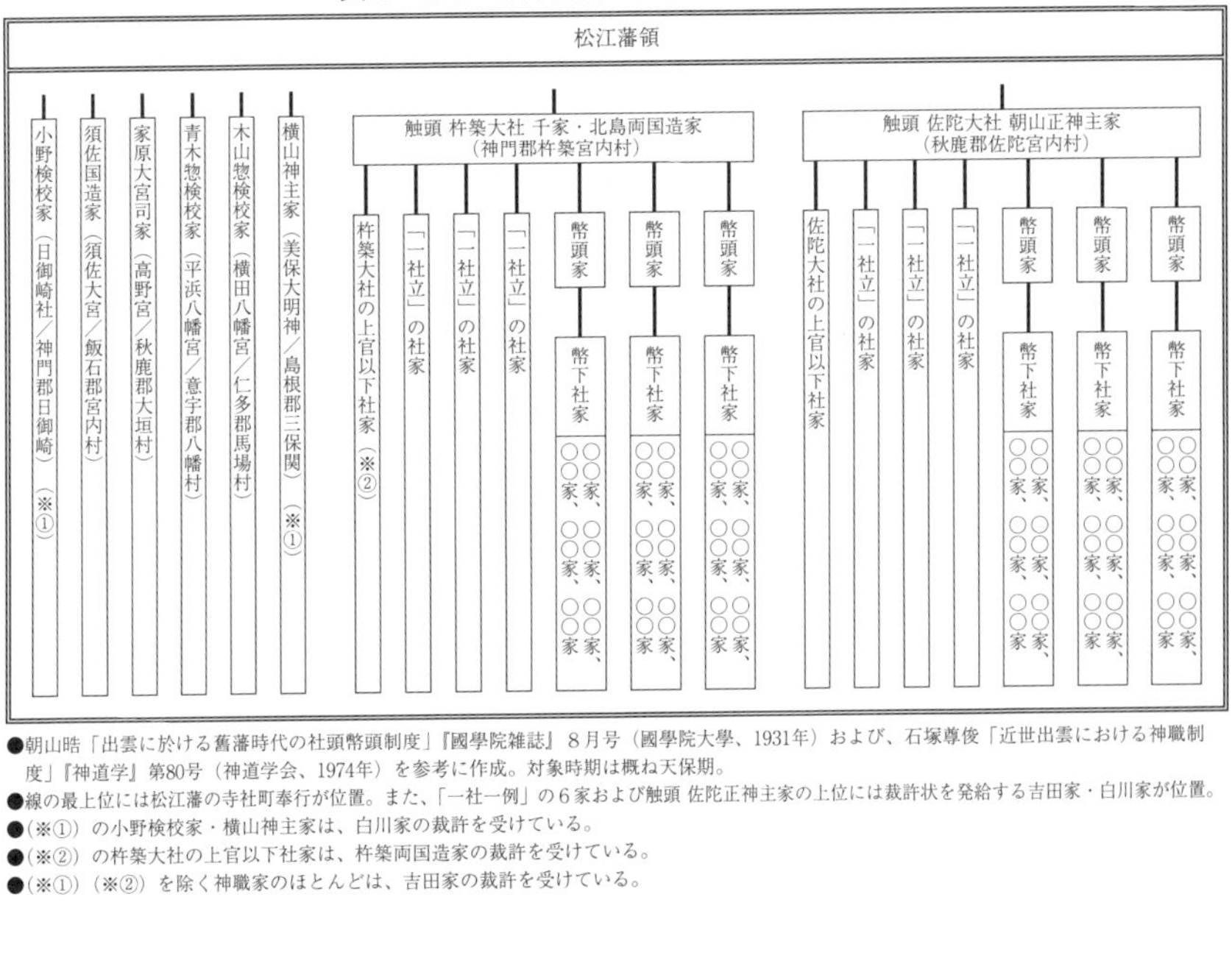

●朝山晧「出雲に於ける舊藩時代の社頭幣頭制度」『國學院雜誌』８月号（國學院大學、1931年）および、石塚尊俊「近世出雲における神職制度」『神道学』第80号（神道学会、1974年）を参考に作成。対象時期は概ね天保期。
●線の最上位には松江藩の寺社町奉行が位置。また、「一社一例」の６家および触頭 佐陀正神主家の上位には裁許状を発給する吉田家・白川家が位置。
●（※①）の小野検校家・横山神主家は、白川家の裁許を受けている。
●（※②）の杵築大社の上官以下社家は、杵築両国造家の裁許を受けている。
●（※①）（※②）を除く神職家のほとんどは、吉田家の裁許を受けている。

ちろん隠岐だけが特別だったわけではなく、【表3】の「江戸時代後期の出雲の神職組織図」と照らし合わせて見れば明瞭なように、出雲と類似した組織編成になっていたことを指摘できる。隠岐が松江藩の預地であったことを踏まえれば、出雲のあり方が隠岐にも適用されたと考えるのが妥当な捉え方であろう。

二　江戸時代の神楽の実際

（一）神楽を独占的に担う幣頭と幣下社家

前節で隠岐の神職組織について述べたが、吉田家等から同内容の裁許状を受けた神職であっても、家格や属する組織の違いによって、それぞれが祭祀の手法を異にしていた。とりわけ在地色の濃い伝統的な神事や祈祷に関してそれは顕著で、すべての神職が神楽（今日隠岐神楽と呼ぶスタイルの神楽）に携わっていたわけではなかった。つまり、このような神楽に携わっていたのは、幣頭およびその幣下の神職たちだけに限られていた。そのことを具体的に示すのが次の史料である[12]。

これは、文政十一（一八二八）年に村尾家・宇野家・真野家の三家が、幣頭宇野家と争論になった際に、村尾遠江が吉田家家老の鈴鹿近江守に宛てた申し開きの返答書（写）である。

乍恐奉申上候演説之覚

一此度神祇道之儀ニ付、幣頭宇野石見ゟ触達候儀、近来私共承引不仕候旨、御上聞ニ達、先例之通有之候様之旨被仰下、乍恐左ニ奉申上候

一当社之儀、往古ゟ御寄附状数通之面を以社領百石余茂被下置、守護不入之地ニ而、尓今御寄附状所持罷在候、然処何頃何れ之御時代ニ社領御取上ヶニ相成候哉、年限等相知れ不申候、当時社領拾石被下置、則神職罷在候中、当社之祠官海士村駒月對馬、御本所様継目仕候節者私ゟ添翰等仕来候由ニ而、則御連名之御返書所持仕候処、いつ頃より歟、同人儀宇野石見幣下ニ罷成候哉、是全く神楽師兼勤之者ニ而同人幣下ニ相成候儀与奉存候、同人幣下知夫里郡ニ弐人、海士郡ニ弐人同職之者有之、依而両郡幣頭と相心得申候

①但五人之者者銘々受口村々相極り有之、神楽祈祷被頼候得者居宅、或ハ願主相招候得者家内不残罷越、神楽祈祷相勤申候、大神楽祈祷相頼来り候得ハ五人共家内不残罷越、一昼夜執行仕候者共ニ御座候

一②私儀者一社之神事祭礼先例堅相守、無怠相勤居、他家江
罷越、神楽者勿論、諸御祈祷等仕候儀一切無御座候、一
社一例之振り合ニ前々ゟ相心得罷在候、右之者共江出会
仕候儀、毛頭無御座候、③尤私方祭礼之節ハ湯立神楽・
釜祓等者駒月對馬仕来り申候
一去ル戌年、御本所様御元服御祝儀取集、宇野石見上京
仕、其砌十八神道御伝授仕、帰国之砌ゟ職頭蒙　仰候
抔と新規之儀申聞候得共、承引不仕候
右之趣相違無御座候間、何卒前々之通、被仰付置被為下
候様、偏ニ奉願上候、若御締り合ニ付、幣頭無御座候而不
相叶儀ニ御座候ハヽ、私共三人之内社極（格カ）御見合を以被仰
付被為下候ハヽ、違背仕間敷候、此段宜敷奉願上候、以
上

子十二月

宇津賀大明神々主

村尾遠江

鈴鹿近江守様

この中で注目したいのは、まず傍線部①のところで、島前の五家の社家はそれぞれ受け持ちの村々が決まっており、個人依頼の祈祷神楽であれば、自分の居宅か、もしくは願主のもとへ赴き、家族総出ながらも一家で対応する。しかし、「大神楽」になると五家がそれぞれの家族一同を引き連れて集結し、一昼夜神楽を行うと言うのである。

これに対し村尾遠江は傍線部②のところで、自分は一社の神事祭礼を先例通りに堅く守っており、他家へ赴いて神楽や祈祷をするようなことは一切ないと。そして傍線部③のように、自分の神社の祭礼では、湯立神楽や釜祓などは駒月対馬がすることになっていると述べている。

このように、幣頭およびその幣下の神職たちと村尾家との間には、異なる神事や祈祷の手法があったことが見受けられる。

次に大掛かりな祈祷の神楽の実例を紹介したい。江戸時代の隠岐では、「大神楽」や「国神楽」などと呼ばれた大規模な祈祷の神楽が度々行われていた。ここで紹介する「於摠社郡中祈祷記録」には、延享三（一七四六）年から文化十五（一八一八）年までの間、摠社《そうじゃ》（現玉若《たまわか》酢《す》命神社）で行われた祈祷の記録が記されている。この史料は現在隠岐の島町教育委員会の所蔵だが、もとは周吉郡幣頭村上家に伝えられていたもので、何らかの古記

録をもとに、文化十五年以降の段階で整えられたものである[13]。

事例としてここで取り上げるのは、明和九（一七七二）年三月五日に執り行われた「御注連《おしめ》神楽」についてである。記された内容は次の通りで、行われた演目、演じた人物をまとめたものが【表4】と【表5】である。

一明和九年壬辰三月五日之晩、江戸御役人御渡海之由ニ付、為御祈祷、越知・周吉両郡参勤、御注連神楽有之、雑用供物先年之通り内半紙六束・色紙五帖・厚紙廿枚・核苧等

前儀式三人

和泉　周吉　斎宮　越知　周吉　越知
相模　入座　意趣祝詞　華舞　八神　先祓
大和
主水
出雲　越知　周吉　周吉　周吉　周吉
日向　熊野　随神　岩戸　愛宕　天神
伊豆
豊前

御注連儀式

周防　越知　薩摩　相模
相模　切陛　神戸開　祝詞　御注連行事
和泉　備神酒　一宮
大和
薩摩
對馬　報銭拾貫文　布代六百文　檀銭八先年之通也
大隅
織衛

表4　明和9（1772）年「御注連神楽」の次第

行われた演目			配役
01	「前儀式」	（前座）	相模・和泉・大和
02	「入座」		周吉郡
03	「意趣祝詞」		斎宮
04	「華舞」		越知郡
05	「八神」		周吉郡
06	「先祓」	（儀式三番）	越知郡
07	「熊野」		越知郡
08	「随神」		周吉郡
09	「岩戸」	（「岩戸」）	周吉郡
10	「愛宕」	（入れ舞）	周吉郡
11	「天神」		周吉郡
12	「切陛」		越知郡
13	「神戸開」	（注連行事）	
14	「祝詞」		薩摩
15	「備神酒」		一宮
16	「御注連行事」		相模

表5　明和9（1772）年「御注連神楽」を行った神職

記載名	比定者	比定者の居村	
相模	村上相模高祖〔幣頭〕	周吉郡	矢尾村
斎宮	村上斎宮　※のち村上相模高平	周吉郡	矢尾村
周防	村上周防英貞	周吉郡	東郷村
豊前	高橋豊前房壽	周吉郡	目貫村
伊豆	高橋伊豆清久	周吉郡	加茂村
日向	赤沼日向吉秀	周吉郡	有木村
出雲	高橋出雲善胤	周吉郡	中村
主水	村上主水高當	周吉郡	原田村
和泉	菊地和泉〔幣頭〕	越智郡	一宮村
薩摩	藤田薩摩正廣	越智郡	北方村
對馬	高梨対馬重常	越智郡	小路村
大隅	和田大隅昌祥	越智郡	油井村
織衛	村上織江	越智郡	那久村
一宮	菊地家妻女が務める巫女カ	越智郡	一宮村
大和	伊藤大和祐定		都万村

この日の神楽は、江戸役人の渡海に当たり、航海安全を祈願するためのものだった。神楽の構成は、現在伝承されているものとそれほど大きくは変わらない。つまり、この時代まで現行神楽のスタイルはさかのぼり得ると言える。なお、現在、恒例の神社例大祭で執り行われる神楽は「儀式三番八乙女神楽《ぎしきさんばんやおとめ》」と呼ばれるもので、前座＋儀式三番＋入れ舞で構成される。それに対して、特別な祈願の際の神楽は島後で「御注連神楽」、島前で「大注連《おおしめ》神楽」と呼ばれ、前座＋儀式三番の次に「岩戸」が入り、数番の入れ舞を経た後、一連の「注連行事」が行われる。「注連行事」については後述するが、ここではこの日の「御注連神楽」を演じた人物たちに注目してほしい。つまり、周吉郡の村上幣頭およびその幣下の神職たち、越智郡の菊地幣頭およびその幣下の神職たち、そして古木幣頭の幣下である伊藤家といった面々で構成されており、先の島前の史料と同様に、神楽に携わる神職たちが限定されていることがわかる。このように、江戸時代においては同じ神職内にあっても、神楽を担う神職と、それとは別の手法で神事や祈祷を司る者との明確な違いが存在したことを指摘しておきたい。

（二）重要な役割を果たす巫女の存在

前項で紹介した明和九（一七七二）年の「御注連神楽」だが、終盤の「注連行事」は、「神戸開《みとびらき》」「祝詞《のりと》」「備神酒《みきぞなえ》」「御注連行事」で構成されていた。配役としては、「祝詞」を藤田薩摩が、「備神酒」を一宮が、そして「御注連行事」を周吉郡幣頭村上相模が務めている。さて、ここに出てくる「一宮」だが、これはおそらく一宮村に居住する幣頭菊地和泉の妻女を指すと思われ、彼女はすなわち巫女を務めたと思われる。それと言うのも、この幣頭村上相模が天明六（一七八六）年に記した「御注連神楽之大事」なる書が伝え残されており[14]、「・次備㆓神酒㆒　巫、勧請祝、奉幣須」とあるところから、「備神酒」は巫女の役目であることを知ることができる。

　一通り配役を確認したところで、一連の「注連行事」の流れを読み解いてみたい。まずは「御注連神楽之大事」の関連部分を以下に引用する。

・次　神戸開
・次　備㆓神酒㆒　巫、勧請祝、奉幣須
　∴勧請祝
（※「勧請祝」の文言は略す）
・次　降㆓臨玉蓋㆒而御禊、諸神招請祈念須
・次　持㆓注連系㆒　三三九　口伝
・次　玉蓋巡行、神詫、諸法楽
　△祝文
（※「祝文」の文言は略す）
・次　諸神法楽　曳㆓納玉蓋㆒　口伝
・次　張㆓白糸㆒而神詫
・次　至㆓日出㆒、神楽、還座、三十番神之唱㆓神号㆒、巡回一行
・次　撤㆓幣帛㆒、供物等退下

　併せて、島後久見神楽保持者会が所蔵する「神楽式舞《まい》懸語言《かけかたりことば》」の関連部分も引用する[15]。島後久見神楽は、明治二十二（一八八九）年ないしは二十三年に、油井村の社家・和田可也から久見村の人たちが伝授を受けた神楽である。この書に年紀はないが、文中に次のような記述が見える。

右ハ四代以前ノ和田大隅守ノ書、誠ニいろはにて不分明之廉ヲ漸く我覚、合シテ今度改メ書キ写シ、此訳殊ニ当村神楽組ノ人々ゟ被頼、依而此書ヲ改メ記ス

つまり、この書は和田可也が所持していた本を写し改めたもので、その原本は「四代以前ノ和田大隅守」によって記されたものだったと見える。和田大隅守とは、明和七（一七七〇）年に吉田家から裁許状を受けた昌祥

で、その後和田家は、備前守昌尋、備前正昌義、安芸正重忠と続いて明治を迎えている[16]。この安芸正重忠の改名が、実は可也なのである。

以上のことから、この書の底本が江戸時代中期後半か、下っても後期初頭に掛けての時代に書かれたものであり、しかも和田大隅守自身が明和九年の「御注連神楽」にも加わっていることから、この書の内容は「御注連神楽之大事」と同時代の手法を反映しているものと推測できる。もちろん村上相模の周吉郡のやり方とは異なる面もあるだろうが、「注連行事」には越智郡北方村の藤田薩摩と一宮村の巫女も加わっていることから、両郡間でそう大きく異なるものではなかったとも推測される。村上相模が記した「御注連神楽之大事」と照らし合わせることで、「注連行事」の様子がさらに鮮明に浮かび上がってくる。

御注連神楽式

（中略）

十二　暁ニナリ、御戸開キ、巫女二人鈴ヲ以テ舞

十三　祝詞、一人太皷打チ勤メ

十四　御酒ヲ供ヘ、巫女一人五色ノ高幣ヲ持、神祇（祇）勧請ヲ読ム、次ニ奉幣ヲ勤メ

十五　注連行へ

十六　御神詫、巫女一人鈴ヲ以テ舞フ

十七　三十万（番）神一同不残巡リ

一々再拝奉ル、必ズ納受タビタマイト読奉ル

十八　鈴（鈒）舞、男四人、前ノニ少シ違ヘ、玉蓋ヲ中ニ立テ

舞フ也

外ニ　神上ゲ、巫女一人舞

式相済ム

両書をもとにし、さらに現在行われているやり方を参考にしながら、「注連行事」の流れを追ってみたい。

まず「神戸開」。「御注連神楽之大事」には詳細が記されていないが、「神楽式舞懸語言」によれば巫女二人が鈴を持って舞うとある。現行のやり方では、洗米を盛った三方が舞座中央に置かれ、そこへ巫女が出て来て、その洗米に対して神楽鈴を振り、祓い清める。

二番目の「祝詞」は、「御注連神楽之大事」では「備神酒」の後になっているが、「神楽式舞懸語言」では順序通り「神戸開」の次であり、太鼓を打ちながら務めるとある。現行は「朝の祝詞」とも呼ばれ、低く下ろした

玉蓋《ぎょっかい》を前に、幣頭と願主が揃って座し、幣頭が祝詞を奏上するものである。ここでは藤田薩摩の名が記されている。彼は幣頭ではないが、藤田家は幣頭菊地家の代替わりの際には幣頭の代役を務めるような家柄だったので、十分その資格たり得るとして任されたのだろう。

続いて「備神酒」。「御注連神楽之大事」では、巫女が「勧請祝」の祝文を奏し、次いで奉幣《ほうへい》をするとある。「神楽式舞懸語言」の記述はそれよりやや詳しい。現行のやり方を交えて記すと、まず舞座の中央に大太鼓が据えられ、その上に御神酒が置かれる。そこへ巫女が五色幣を持って現れ、大太鼓の前に着座する。巫女は天神七代の神名を唱え、そして「神祇勧請」の祝文を奏上する。併せて奉幣も行うというもの。

クライマックスに当たるのが一連の「御注連行事」。「神楽式舞懸語言」の記述は少ないが、「御注連神楽之大事」の記述をもとにして、現行の手法を交えながら紹介

写真１　「備神酒」に相当する
島後久見神楽の「神酒供え」

写真２　願主の頭上で玉蓋を上下させる
島後久見神楽の「注連行」

写真３　島後久見神楽の「玉蓋行事」

する。玉蓋の真下に願主が座し、幣頭が祭詞を唱えながら玉蓋を願主の頭上で上下させる。それに合わせて紙吹雪が舞い散る。一通り終わって願主がその場を離れると、幣頭は曳き綱を巧みに操り、玉蓋を上下左右に激しく揺り動かす。現在はこれを「玉蓋行事」と呼んでいるが、これに当たるのが「御注連神楽之大事」の「玉蓋巡行」であろう。ここで注目すべきは、この「玉蓋巡行」に続いて「神託《しんたく》」があるとの記述である。「御注連神楽之大事」には誰が「神託」を行うのか記述はないが、「神楽式舞懸語言」には「御神託、巫女一人鈴ヲ以テ舞フ」とある。察するに、巫女が鈴を持って舞いつつ、次第に神懸かり状態となって神託を受けるということなのだろう。

　両書からはこれ以上のことは不明だが、島前の社家から昭和十四（一九三九）年に聴き取られた聞き書きが存在する。その社家とは石塚勝太郎氏で、聴き取ったのは牛尾三千夫氏である。それは次のようなものである[17]。

以下の神子の神がかりに入る時の神歌の詠唱などは、昭和十四年四月の石塚勝太郎翁からの聞き取りのノートに処（拠）る、未発表のものである。

注連行事に入り、幣頭は次の神歌を出す。

〽陰陽、この二字にかからぬ神もましまさば　こがねの注連をかざりましま す

太鼓は下句だけに付けるのである。

以下、神歌五首を詠唱した後、雲形・玉蓋・千道・八足・雛形・鳥居などのいわれを詠い、〽八方の木棉紙垂と申すは　八神を表すとぞ申すなり、で鹿島の神以下八神を勧請し、続いて隠岐島に鎮座の神々を招神して、

〽いかにまた神もうれしと思召す　よき只今の遊び舞する

の神歌の後、神子が右手に幣、左手に榊を持って出でて俵に腰を掛ける。しかる後、立って、幣を左右左といただき、左手に榊を持って、

〽久方の天の八重雲かき分けて　降りし神をわれぞ迎へん

の神歌を歌い、

〽大己貴少彦名のつくりにし　常世のみきを神にまゐらす

の歌で、前方の三本の宇豆幣に榊で神酒を注ぐ所作をする。これを受けて幣頭は、

〽これからや　御酒の初穂をまゐらする

と和すと、更に他の社人等一同が、

〽神きこしめせ

と和す。

次に、

〽雲晴れて月日はまなこ風は雪　海山ともにわれと知るべし

〽久方の振りさけ見れば雲間より　天照る神のみ顔あらわる

〽伊勢の国山田ヶ原の榊葉に　こころのしめをかけぬ日もなし

右の三歌は陰陽節で唱和され、再度、

〽久方の天の八重雲かき分けて　降りし神をわれぞ迎へん

の下句から早拍子のイノリ節に変わる。音楽は太鼓と合調子三丁くらいで囃すから、その喧騒たるや物凄いものである。女性の疳高い声で、〽エンヨウ、八乙女は誰がもとへ、などと唱和する時の雰囲気は、全く人々の心を揺り動かさないではおかない。囃子に笛がないと云うことも、神がかりに入るには役立っているように思われる。イノリ節に入ると、幣頭の引く玉蓋は前後左右に激しく飛び違い、神歌は一種のリズムに乗って歌われる。

〽アッサンヤー　サンヤト　天照大神　天ノ八重雲　撥《（接）》キ分ケテ　下リシ神ヲ　我ゾムカヘン　我ゾ迎ヘン　ヨキワザシテカナ　天ニ坐ス　ヒルメノ神ヲ　シバシトドメン〳〵

〽乗リ遊ベヤ　ハヤ乗リ遊ベ　カリクラニ　ヨキカリクラニ　人ニナ告ソ〳〵

〽サラサラト　ノリアソベ　クラニ乗リテ　外宮内宮　実ニナル花モ　アッサンヤ　サンヤト　押シ戻ス　花ノ御神楽　参ラスル　神ノ社へ　伊勢ノ御神楽　玉ノ社　ヨキワザシテカナ　天ニ坐ス　ヒルメノ神モ　シバシ留メン〳〵

〽サラサラト　ノリ遊べ　クラニ乗リテ　外宮内宮　実ニナル花モ　アッサンヤ　サンヤト　三度マデ　花ノミカグラ　参ラスル　神ノ社へ　伊勢ノ御神楽　玉ノ社

〽サラサラト　ノリ遊べ　クラニ乗リテ　外宮内宮　実ニナル花モ　アッサンヤ　サンヤト　今ハ早　ゴヘイ納受　モドイテ　クルマモ遊ビマイラス　サイヨソー〳〵

写真４　隠岐島前神楽の「注連行事」

右の神遊び歌で、〽サラサラト、と歌う時は廻る所作をする。そして早拍子で舞う時は必ず右廻りばかりする。すなわち、一方へだけ廻るのである。神遊び歌は神子が神がかり状態となると、三度までは神がかりに入ることが出来るように、神歌は三回繰り返して歌うように組み立てられているのである。

島後と島前で当然細かな違いはあるだろうが、玉蓋が揺り動かされる中で、巫女が神懸かり、「託宣」を行うという点は共通している。要は、玉蓋という装置、それが揺り動かされる場面、そして託台《たくだい》となる巫女の存在というのが、隠岐の神楽における「神懸かり」「託宣」の必須アイテムだったと言えよう。

なお、一連の「御注連行事」はまだ続く。「御注連神楽之大事」の流れに沿って行けば、「祝文」が奏され、玉蓋は「曳納」とある。つまり、吊られている玉蓋が取り外されるということであろう。続く「張二白糸一而神詫」というのは、現行のやり方から言うと、楽屋から正面の長押に掛けて白布が引かれ、それと直交する形で注連縄も引かれ、そしてその下を願主が三度潜るというもの。「注連潜り」とか「注連越し」などと呼ばれるものだが、かつてはこの場面でも「神詫」があったと見える。

そして日の出に至ると、諸神の「還座」となり、「三十番神之唱二神号一、巡回一行」が行われる。現行の「行道巡り」に当たる。舞座の中央に大太鼓が据えられ、幣頭がその大太鼓で拍子を取りながら三十番神の神名を唱える中、願主を先頭にすべての楽人や舞人がその周りを巡回する。その間、願主は取り外された玉蓋を頭上に戴きながら歩くのである。

写真5　島後久見神楽の「三十万《（番）》神一同不残巡り（行道巡り）」

こうして幣帛《へいはく》や供物《くもつ》等が撤せられ、退下となるのが、「御注連神楽之大事」が記す一連の祭式であった。

三　「神懸かり」「託宣」の終焉

明治時代となり、新政府が一連の改革を断行していく中で、従来の宗教的行事にもその鉾先は向いて来た。明治六（一八七三）年一月十五日に、教部省は次のような達を府県に発している[18]。

○第二号　府県

従来、梓巫《あずさみこ》・市子、並憑祈祷《よりぎとう》・狐下ケ杯《など》ト相唱、玉占・口寄等之所業ヲ以テ人民ヲ眩惑セシメ候儀、自今一切禁止候条、於各地方官、此旨相心得、管内取締方厳重可相立候事

この教部省達を受け、島根県も同年四月五日に次のような禁令を出している[19]。これは当時松江において流行していた霊稲荷の「神諭」を取り締まるのに併せてのことだった。

其方各通鎮守神霊稲荷ト唱へ、従来病痾・困厄等ニテ参詣ノ者共へ神諭ト称シ種々ノ儀及指示候儀相聞、方今梓巫・玉召《(マヽ)》等厳禁ノ折柄、甚以不相済事ニ付、屹度令停止候条、向後右様ノ所業有之ニ於テハ厳重咎方可申付候事

こうして「神懸かり」や「託宣」は全国的に禁じられることになった。もちろん隠岐も例外ではなく、この後即時であったかどうかは詳らかではないが、「神懸かり」「託宣」が実施されることはなくなっていった。先に牛尾三千夫氏が聴き取りを行った石塚勝太郎翁は、昭和十四（一九三九）年時で七〇歳とあるから、数え年であれば明治三（一八七〇）年生まれということになる。実際に「神懸かり」「託宣」を伴う神楽に関わった、まさに最後の伝承者だったのかもしれない。

おわりに

現在、隠岐では六つの神楽団体が県または町の無形民俗文化財に指定されている。そのうち、長く中断が続いている島後原田神楽を除き、五つの神楽団体が今も神社の例大祭を中心に伝承を続けている。いずれもその系譜をさかのぼれば、江戸時代の社家につながることは言うまでもない。中でも隠岐島前神楽と島後久見神楽は、かつて巫女による「神懸かり」「託宣」が行われた「注連行事」を今に伝承し続けている。明治時代にその核心部分は失われたが、大枠となる祭儀の形だけは受け継がれた。

焼火《たくひ》神社の宮司を務める傍ら、隠岐の神楽の研究と保

表6　社家の系譜に連なる現在の隠岐神楽

島名・旧郡名		社家		現在の神楽名	所在地	文化財指定
島前		石塚家	⇒	隠岐島前神楽	海士町	島根県指定無形民俗文化財
		布施秋月家	⇒			
島後	周吉郡	原田村上家	⇒	島後原田神楽	隠岐の島町原田	島根県指定無形民俗文化財
		東郷村上家	⇒	西村神楽	隠岐の島町西村	隠岐の島町指定無形民俗文化財
			⇒	旧周吉郡東郷神楽	隠岐の島町東郷	隠岐の島町指定無形民俗文化財
	穏地郡(越智)	和田家	⇒	島後久見神楽	隠岐の島町久見	島根県指定無形民俗文化財
			⇒	代神楽	隠岐の島町代	隠岐の島町指定無形民俗文化財

存に尽力した松浦康麿氏は、生前次のように語っている[20]。

> 御注連があるとなると老年の者は格別の興奮を覚えるものが多く、そして「拝ませて頂く」といふ言葉しか使はないのは、「神懸り」を眼のあたり拝することが出来たからであらう。
>
> 然るに時勢につれてだん〳〵本格の御注連を行ふ機会がとぼしくなったのと、明治以後、神懸りを差止められたのとによって、為に形式にのみ流れ勝になったのは、いかんな事であるが、然しかゝる中にあっても神懸りの秘法を一家相伝して来た事は何としても有難いことであった。

中国地方の神楽には、今も「神懸かり」「託宣」を伝える神楽がいくつか存在する。出雲の大原神職神楽や石見の大元神楽、さらには備後の比婆荒神神楽や備中神楽にもそれらの秘儀が伝えられている。それらの中にあって、巫女が「神懸かり」「託宣」を行う神楽はどこにも伝えられていない。改めて思うに、核心部分が失われているとは言え、そこに至る一連の行法が伝わり、古記録と照らし合わせさえすれば再現が可能な隠岐の伝承は、偏に貴重と言うべきものであろう。おかげで我々は、古き時代の人々の祈りの姿を、まざまざと脳裏に思い描くことができる。

【注】

1　石塚尊俊『西日本諸神楽の研究』慶友社、一九七九年、二八六～二八九頁。

2　石塚尊俊「19 芸能」『隠岐島の民俗』島根県教育委員会、一九七三年、三二九頁。

3　『島根の神楽 ―芸能と祭儀―』古代出雲歴史博物館、二〇一〇年、五八頁。

4　拙稿「近世隠岐の「神楽社家」と神職組織」『隠岐の祭礼と芸能に関する研究』島根県古代文化センター、二〇一八年。

5　『御触書宝暦集成』岩波書店、一九三五年、三三三頁。

6　『隠岐国神社秘録』島根県総務部、一九五三年、二三七～二四六頁。同書に翻刻されたものは明治二年の写と思われるが、「宝暦七年」とされているのは宝暦十年の誤りである。

7　佐草加寿子氏蔵「社号差出帳」（佐草家文書九三一二‐四）。前掲「近世隠岐の「神楽社家」と神職組織」、一五三頁に翻刻掲載。

8　前掲「近世隠岐の「神楽社家」と神職組織」、一二六～一二九頁。

9　前掲「近世隠岐の「神楽社家」と神職組織」、一五四頁に翻刻掲載。

10　藤田新編『隠岐騒動関係資料』名著出版、一九八一年、一〇〇頁。

11　『八王子神社御由緒書』八王子神社、一九六五年、一一七～一二一頁。

12　村尾周氏蔵。前掲「近世隠岐の「神楽社家」と神職組織」、一六一頁に翻刻掲載。

13　『重要文化財 玉若酢命神社本殿他二棟修理工事報告書』玉若酢命神社、二〇〇二年、所収。

14　隠岐の島町教育委員会蔵。本田安次「芸能班報告」『出雲・隠岐』平凡社、一九六三年、所収。

15　拙稿「島後久見神楽成立の経緯と社家和田氏について」『隠岐の文化財』第三十八号、隠岐郡四教育委員会、二〇二一年、所収。

16　古木裕麿氏蔵「吉田殿御許状写シ」。前掲「島後久見神楽成立の経緯と社家和田氏について」、所収。

17　牛尾三千夫「隠岐島の神楽」『神楽と神がかり』名著出版、一九八五年、二四六～二四八頁。

18　『法令全書 明治六年』内閣官報局、一八八九年、所収。

19　「自明治五年 至同七年 島根県歴史制度部（島根県史料三）」『松江市史 史料編9 近現代Ⅰ』松江市、二〇一七年、三七八頁。

20　松浦康麿「隠岐の神楽」『藝能復興』第八号、民俗藝能の會、一九五五年、一二頁。

出雲神楽の源流・佐陀神能

岡　宏三

出雲の神楽能の原点とされるユネスコの無形遺産・佐陀神能。中世における佐陀大社（佐太神社）の芸能の様相と、管掌していた社家の変遷の分析を通して、佐陀神能の成立に至る過程を明らかにする。

おか・こうぞう
昭和四十一年（一九六六）、島根県に生まれる。青山学院大学大学院修士課程修了。島根県古代文化センター、島根県立博物館を経て、島根県立古代出雲歴史博物館専門学芸員。専門は近世社会文化史。
【編著書・論文等】
『近世日本の海外情報』（岩田書院）、『出雲大社の御師と神徳弘布』（島根県古代文化センター）、『出雲大社　出雲の神祭りの源流』（柊風舎）

佐太神社

松江市鹿島町の佐太《さだ》神社は、古代においては出雲四大神の内の一柱・佐太大神を祀る佐太御子社、後には佐陀大社と称され、多くの崇敬を集めてきた。また同社の数々の神事祭礼のなかでも、八月二十四・二十五日にわたって行われる神楽は名高い。すなわち二十四日の御座替《ござかえ》神事では、本殿他の神座の御座を取り替えるなか、七座（直面《ひためん》の執物舞。剣舞・散供《さんぐ》・清目《きよめ》・御座・勧請・八乙女・手草《たくさ》）を行い、翌二十五日には神事の成就を祝う着面の式三番《しきさんば》・神能《しんのう》を行う。これを「佐陀神能」という。かつては二日目の成就神楽に対する名称であったが、近代に再興されて以降は初日も含めての総称となっている。奏楽には笛、太鼓、大鼓《おおつづみ》、小鼓・銅鈸子《どうばっし》を用いる。また他所の神楽と異なり託宣を行わず、天蓋《てんがい》を釣らない。

明治維新までは、三郡半（秋鹿《あいか》郡・島根郡・楯縫《たてぬい》郡と

式三番

七座の内「御座」

意宇郡西半）の社家が佐陀大社に参集してこの神事を奉仕していたが、七座に加え、式三番や鼓を用いるなどは三郡半以外の出雲各地の神楽にも影響を与えた。全国の数ある神楽のなかでもユネスコ無形遺産に登録されているのは、岩手の早池峰《はやちね》神楽と出雲の佐陀神能のみである。

　神能の成立は、慶長十三年（一六〇八）年、幣主祝《へいぬしのはふり》宮川秀行が神職裁許状を得るため上洛した際に猿楽を学んで取り入れ、大成したという。しかしながら短期間に猿楽が習得できるのか、またそれ以前の神楽も様相については史料的制約もあって判然としなかった。ところが近年、松江市内に関わる中世文書を集めた『松江市史　史料編3・4』が刊行され再検証が可能になってきた。

　今回は新たに見つかった史料、既に公開されながらも見過ごされてきた史料をもとに、佐太神社の芸能、中世佐陀縁起、また当時の神職組織にも広く着眼して佐陀神能の成立までをたどってみたい。

一　中世佐陀大社の芸能と神楽

　中世佐陀大社の特質の一つは、鎌倉から南北朝初頭にかけて、杵築大社（出雲大社）をもしのぐ政治的実権と経済規模とを有していたことである。

　佐陀大社の神主家は、遅くとも平安末期以降 勝部《すぐりべ》氏が一貫して管掌したと考えられている（中世には佐陀氏とも称した）。勝部一族は鎌倉期にかけて出雲国衙《こくが》の在庁官人の半数近くを占め、とりわけ承久の乱（一二二一年）後、出雲西部の朝山郷に拠点を置く惣領家の勝部氏（郷名を取って朝山氏と称した）・朝山昌綱《まさつな》は、在庁官人のトップに立ち、守護とともに国司同様の実権を有していた在国司《ざいこくし》であった。昌綱の孫・景連《かげつら》にいたっては、建武三年（一三三六）から五年にかけて備後国守護、続く師綱《もろつな》の代には室町将軍の近習《きんじゅう》として活躍している。

また荘園の規模は、「杵築大社三月会《さんがつえ》相撲《すまい》・舞頭役結《とうやくけち》番《ばん》帳」（千家家文書）によれば、文永八年（一二七一）時点で、守護佐々木泰清《やすきよ》の所領二九一丁、杵築（出雲）大社領二八九丁に対し、故朝山左衛門尉（昌綱）の所領は一六七丁。また佐陀大社の佐陀荘は二八〇丁で、「佐陀神主（長元）」の遺領・国屋《くや》郷六〇丁余を加えると、三四〇丁に達していた。

第二に、国衙との結びつきである。年中行事における佐陀荘内の祝《はふり》、名主《みょうしゅ》らが供出した米・酒等資材の負担、配当等を列記した『佐陀大社御神事帳』によれば、八月十三日御神事の条に、

（前略）巨曽石《こそし》之郷より参石参るなり（中略）配当の事、餅百枚国方《くにかた》へ、是は勅使案主《あんじゅ》所・□（税）所殿、色々儀式在り

とある。国方（国衙）から出仕した案主所と税所《さいしょ》に餅百枚の配当があったことを意味し、同社と国衙とのつながりの一端を物語る。

この史料は祭礼の次第について具体的内容を記していないが、同社で行われていた芸能の片鱗を各所に伝えている。そのうち神楽関係の行事としては、一月十五日のもち粥（粥占神事）の際における神楽始め「すゝのくち（鈴の口）あけ（開け）」をはじめ、「舞酒」「神子酒」の記載がある神事が年に九度あった。現在の佐陀神能では八月二十五日に御座替神事を、翌二十六日に神事成就の法楽能を行うが、当時は八月二十五日のみで、神楽は旧殿祝《ふいどのはふり》から神子宮《みこのみや》祝《はふり》に酒・米を給して行わしめていた。

とりわけ注目される記事は、今では五月三日に行われている「四月三日」の神事である。

一、同三日の御神事、参段の内
一段御酒三斗弐升、小別当祝　壱段御供十八膳、嶋根分　秋鹿分半・井上名御飯米出し申し候　秋鹿分半・しやうし（承仕）名御飯米出し申し候
壱段田楽の酒、経所《きょうしょ》に納め申し候

この日の神事では耕地三段（反）分の経費が充てられていた。内訳は、酒三斗二升を小別当祝が、御供一八膳を佐陀荘東側の島根分、及び飯米を同西側秋鹿分の井上名・承仕名が負担、残り一段分の「田楽」の酒は経所に出す決まりだったという。当時経所は本社（正中殿・北社・南社）三殿のうち北社の神宮寺に充てられていたか

ら、この日経所の神宮寺は「田楽」を担当し、酒が提供されていたことがわかる（この神事については後述する）。

二　『佐陀大社縁起』

佐陀大社において室町・戦国時代は試練の時代だった。十四世紀末頃、将軍家近習を勤めていた朝山惣領家は失脚、寛正五年（一四六四）頃における所領は佐陀庄のうち秋鹿分、大野荘の内称《ね》宇《う》村、楯縫郡平田のみであった。朝山惣領家が佐陀氏に代わり佐陀神主職を兼務するようになったのは、幕府が「兼神主朝山次郎（利《とし》綱《つな》）」に佐陀大社の精誠奉祀を命じた明応二年（一四九三）頃とされる。物領家はこの頃から拠点を京から在地に移し、佐陀大社の祭祀運営の充実を図ったのだろう。

永禄六年（一五六三）三月、尼子氏は毛利氏に帰属した朝山貞綱《さだつな》を切腹せしめ、朝山氏は一時断絶した。同年九月、貞綱の遺子・賢正院（慶綱《よしつな》）に再興を許したが、間もなく出雲が毛利氏の版図となると神主役は安堵されず、また神田及び居屋敷は収公されたと思しく、これらが還付されたのは天正十年（一五八二）であった。十四世紀末における佐陀氏から物領家朝山氏への神主職の移行、十五世紀半ばにおける神主家の一時的衰微という事態は、佐陀大社の社家組織、宗教観、祭祀のありかたに大きな影響を与えることとなる。

朝山惣領家が神主職を兼帯して間もない明応四年（一四九五）には、前述の『佐陀大社縁起』が成立している。この縁起の神観念について、次の二点を指摘しておこう。

第一に、佐陀大社の主祭神を、中正殿＝伊弉諾尊《いざなぎのみこと》（本地、阿弥陀・白山《はくさん》妙《みょう》理《り》権現《ごんげん》）、北社（別名加賀社）＝伊弉冊尊《いざなみのみこと》（本地、薬師・観音・地蔵）、南社（別名旧殿《ふいど》）＝天照太神・杵築大明神（本地、阿弥陀）の四神とする。同社には応安二年（一三六九）寄進の御供台が三基現存しており、その頃には既に本殿は三殿、主祭神も三神であったろう。ところが戦国期にはなぜか四神となり、比定される本地にも混乱を生じている。

なかでも伊弉諾・伊弉冊の二神は「天地開闢ノ曩祖《のうそ》、陰陽最初ノ元神」にして「本朝の宗廟、諸神の父母なる故に、諸神孝行の義を顕《あら》わさんが為」神在月に当社へ参集するという。また当社の鎮座地は、この二柱の神による国生みの後、天竺《てんじく》の東、鳩留国《きゅうるこく》の北西の小島が浮浪してこの地に留まった「島根山」であるという。中世の杵築大社や鰐淵寺等の縁起では、杵築大明神が浮浪する島を築き留めて島根半島が出来たとするが、この縁起では島根山とは島根・楯縫・秋鹿の三郡とし、杵築大社の鎮座する出雲郡は含まない。この三郡は佐陀大社ゆかりの領域であると暗に述べているのだろう。

第二に、神は二つに大別されるという。具体的には「諸仏菩薩の垂跡神《すいじゃく》」すなわち彼岸《ひがん》のほとけが神の姿となって此岸《しがん》の我々を見まもる「実者《じっしゃ》ノ神」と、我々の身のまわりで「或いは人類、或いは畜類など死して後、神となり、鬼となり、そのほか草樹に依る精霊等の、人を誑《たぶら》かし、人を悩ます物」である「権者《ごんじゃ》ノ神」だという。親鸞の孫・存覚《ぞんかく》の『諸神本懐集』等では名称は逆で、前者を権神、後者を実類《じつるい》と呼んでいる。それはともかく、佐陀大明神とは「実者ノ中、実者ノ神也、本地法身《ほうじん》ノ如来也」真理究極の存在である、という。

佐陀大明神を説明するのに、なぜ権神・実神の区別を説くのだろうか。縁起はまた十月が神在月であるのは、伊弉諾尊がこの月十七日に病死し、当社の法華院は舎利《しゃり》（遺骨）を納めた建物、社の背後の垂見山《たるみやま》は廟所であると伝えていたからである。ここにいう「死」とは『法華経』如来寿量品《じゅりょうぼん》にある通り、衆生を救わんがために方便として涅槃《ねはん》（入滅）を示したに過ぎず、実は娑婆世界にあってなお衆生を守護しているのだが、人々が現象としての死に囚《とら》われて、佐陀大明神を権神の類と誤解することを正すためであった。

神前で神楽を奏する意義についても説明する。権神が形を現せば蛇体であり、常に三熱《さんねつ》（熱風・熱沙・熱塵）に苦しんでいるが、「天岩戸始《あめのいわとはじめ》」に由来する神楽により「神子・巫《かんなぎ》ら舞い歌へば、すなわち三熱の苦」を忘れ、休息することができる。神楽の手拍子は阿弥陀の種子《しゅし》（シンボル）、その音は阿弥陀の左右に控える観音・勢至《せいし》の種子であるが故に、この音を聞くものは必ず正道《しょうどう》に目覚め、救済の道が開かれる、という。

この論理に従えば、神楽は佐陀大明神に対してではなく、権神を救済するために行うもの、ということになる。佐陀大明神は、従来の旧佐陀荘鎮護の神という性格に留まらず、島根・楯縫・秋鹿三郡において、真実の姿は衆生を癒し救済する阿弥陀、観音、薬師、地蔵であり、垂迹《すいじゃく》の姿は方便として涅槃を示す諸神の父母である。その前で神楽を行えば、人を誑かし悩まし、死後に鬼神となった人や畜類、また草木の精霊らの魂魄《こんぱく》は慰撫救済されるという、新たな利生《りしょう》観が示されている。

三　検校吉岡氏

十五世紀末ころまでの佐陀大社における神楽の具体的な様相は不明だが、少なくとも巫女による神楽であったことは『佐陀大社御神事帳』や『佐陀大社縁起』から窺われる。御座替神事の場合、旧殿祝から神子宮祝に料物《りょうもつ》を下して神楽を行っていたが、戦国大名尼子経久《つねひさ》の頃になると、旧殿祝に代わり吉岡氏が管轄するようになった。

年紀は不明だが、尼子経久が出雲国内全土を掌握していた頃、吉岡宗左衛門尉（通照《みちてる》）は「朝山殿御内人々（佐陀大社の社家衆）」あてに書状を出した。その内容はおおむね次のとおりである。

①御座替神事は、その昔、明神の託宣があったことから、お上の命を受けて八月二十五日に出雲国中一〇郡の神子・巫が「祝戸《はふりど》御神楽」を行ってきた。
②近年は法度に背き、島根郡の社家のみ出仕している。
③先規どおり出仕するよう与州様（経久）から一〇郡に下知されれば、島根郡の社家も納得して、丹誠をこめて天下の御祈祷、国中平安の祈願につとめる。
④この要望を富田《とだ》様（尼子氏）へ上申いただき、下知があれば、国中の社家へ届け、神事を執行する。

本来は御座替神事は出雲国内の社家の神子・巫を集めて行うべきなのに、現在出仕しているのは島根郡だけだ、尼子経久から国内の社家に出仕の下知を出してくれるよう取り次いでほしい、と言っている。ここから当時吉岡氏は、御座替神事について島根郡の社家を統率する立場にあったことがわかる。

これに対する佐陀大社側からの返答は不明だが、尼子経久がどのような対応をしたかは次の吉岡雲兵衛あて晴久の書状によって窺われる。

雲州□□《（秋鹿）》郡佐陀大社御座替の儀、先年経久の一通の旨に任せ、四郡神巫ら（へ）懈怠《けたい》なく申し付けべく候。もしかの神主の下、とかく申す者候らわば、堅く成敗を加うべきものなり（後略）。

先年の経久の下知どおり、自分もまた四郡の神巫らに御座替神事に出仕を命じる。所轄の神主がとやかくいえば処罰する、という。すなわち従来出雲国内の神子・巫が参集していたことは同時代の他の神社の史料からも確認できないが、少なくとも島根郡からは参集していたこと、尼子経久・晴久が出雲国内を掌握していた十六世紀前半頃には、島根・秋鹿・楯縫・意宇《いう》四郡の神巫らの参集が公許されていた事、晴久の代には佐陀神主家を通さずに吉岡氏に直接下知していたことがわかる。

吉岡氏は秋鹿郡巨曽石郷の白鬚《しらひげ》大明神（許曽石神社）の神主で、佐陀大社にあっては検校《けんぎょう》職の地位にあり、近世には秋鹿郡東部・島根郡西部三六ヶ村の社家を幣下《へいした》とする幣頭《へいとう》であった。『佐陀大社御神事帳』では、検校は正月二日の神事にのみ登場するが、八月十三日の神事の料物は巨曽石郷が負担していた。また白鬚大明神は六所大明神ともいい、祭神は猿田彦命《さるたひこのみこと》と天鈿女命《あめのうずめのみこと》。天文八年（一五三九）の奥付を持つ同社の縁起では、『佐陀大社縁起』では加賀の潜戸《くけど》で誕生した御子神は天照太神とするのに対し、猿田彦が御子神であると独自の主張をしている点が注目される。

また同時期のものと思われる「吉岡様へ秋鹿島根社家中として役目之事」によれば、秋鹿・島根両郡の社家は、正月に白米一升の上納すること、御座替の御頭《おんとう》のうち、酒の頭は酒肴を供出、御頭を初めて務める者は、別途座《ざ》洗銭《あらいぜん》として吉岡と社家中へ各百文、撤下した前年の御座莚《むしろ》は吉岡へ上納、湯立三釜の時は中の右左のかざりを、七釜の時は誰が願主であっても入目《いりめ》は吉岡が受取ることとなっていた。特に注目されるのは、「神楽の時、六道講式の布施と申し候て、代五十疋吉岡殿へ進上申し候」すなわち神楽執行に際して「六道講式の布施」と称して五〇疋（五〇〇文）を徴収していたことである。この頃吉岡氏が管掌する神楽は、前述の縁起にみるように六道に迷う諸霊を救済する役割も有していたことは間違いない。

四　祢宜・幣主宮川氏

ところが十六世紀末、毛利氏の時代になると、御座替神事執行の指示は吉岡に代わって佐陀大社の祢宜・宮川（宮廻《みやさこ》・宮崎）氏が主導するようになり、従来の職制になかった「幣主《へいぬし》」の職称を兼ねるようになる。

「幣主」の初見は天正六年（一五七八）の奥付を持つ『佐陀社内証記《ないしょうき》』で、冒頭に「宮廻幣主（佐与之助祢宜）清秀」が「天正六戊寅七月四日に古キ神書ヲ写シ」たとあり、清秀をはじめ幣主祢宜右京秀綱《ひでつな》、幣主宮川図《ず》書《しょ》秀右《ひでみぎ》、宮廻兵《ひょう》部《ぶ》秀行《ひでゆき》、宮川兵部秀政《ひでまさ》ら五人が末尾に名を連ねる。このうち宮廻秀行こそ、京に上り能楽の所作を学んで今に続く神能を整えたと伝えられる人物である。それはともかく、幣主家を形成する宮川氏が連署していることにこそ、この史料の特色はある。

『佐陀社内証記』は、宮川氏の立場と主張について考えるうえで次の三点が注目される。

一つには、『佐陀大社縁起』が佐陀大明神を諾冊二尊に天照太神、杵築大明神を併せ祀るとするのに対し、『佐陀社内証記』は諾冊二尊と瓊々杵尊《ににぎのみこと》の三神とする。

第二に、本社の南の社に鎮座する振鉾《ふりほこ》大明神は、「幣主司官本躰の神」にして「先祓神《さきばらいしん》」であり、「悪魔ヲ祓、地ヲ納《おさめ》ル」役目の神であるという。

第三としては、宮川氏が出す三種の祈祷札のうち一つの上書きは「荒神供《こうじんぐ》御祈祷御札」であり、佐陀神領内一六村浦に散在する八一柱の荒神は「宮崎幣主秀右抱《かかえ》」としている点である。

ここにいう「荒神」について考える上で参考になるのは、次の願文《がんもん》（『神祇講式』の第三廻向《えこう》発願文）である。

（前略）当社権現の応護《おうご》を蒙《こうむ》り、須《すべから》く次に生るる所を知り、安養知足の仏土へ、願いに随て往詣せん。霊山補陀落《ふだらく》の宝利《（刹）》へ、願いに随って生存せん。殊《こと》には金輪聖王《こんりんじょうおう》、宝祈《（祚）》延長し、文民百寮、栄運傾くこと無からん。魔王魔民、邪道を止めて正道に帰し、悪鬼悪神、妄見を改めて正見を生ぜん。四生《ししょう》同じく一仏乗《いちぶつじょう》の門に入り、六道《りくどう》興って三菩薩の果徳を証せん。南無諸社の霊神、威光を倍増し、一切群生《ぐんしょう》に、平等利益《りやく》せんことを（中略）。

雲州島根郡佐陀宮内の住人

宮迫佐与之助これを書く

天正六年戊寅十二月五日　清秀（花押）

すなわち当社権現の力により、来世は往生極楽、現世においては天皇の弥栄《いやさか》、万民の繁栄、及び魔王魔民・悪鬼悪神が正道に帰服し、諸社の霊神が威光を増すことで普く生きとし生けるものに功徳が及ぶことを願う内容である。つまり権神を慰撫救済し転じて我々を護る善神となるよう、神楽祈祷を行うことが幣主宮川氏の具体的役目の一つであった。わけても最も身近な権神が荒神であったのだろう。

この宮川佐与之助は一時幣主役を取り上げられていたようである。ところが天正十年（一五八二）頃の二月十四日に、毛利氏は奉行人二宮就辰・神田元忠の連署で、再び幣主役を許すことを伝達した。

佐陀平《（幣）》主役の儀、左与（之）助先年の筋目をもって御佗言《わびごと》申上げ候。余儀なきの通り仰せ出され候。幸い御領内にまかり居ること候条、前々のごとく仰せ付られ候て然るべく候。給地壱段の事も相違なく遣わされ候様によくよく御披露肝要候〳〵（略）。

次いで二日後、この頃には秋鹿・島根二郡のみが奉仕していた御座替神事に、意宇・楯縫両郡の社家も参集させるよう命じている。

佐陀御神前において毎年八月廿四日御座易（替）に意宇郡・楯縫郡社家衆残りなく出られ、天下の御祈念候といえども、近年まかり出ざるの由候。太《はなは》だもって然るべからず候、当年より一人も残らずまかり出候様に堅く相催すべき事肝要候く。その上まかり出ざる衆候らわば注進を遂げべく候。爰元《ここもと》より申し付けべく候。そのため申し候。恐々謹言。

これに続いて同年には、毛利氏から朝山正神主家に神主役が安堵され、神田、居屋敷等も還付されている。

宮川佐与之助とはいかなる人物か。宮川家には永正九年（一五一二）の年紀を持つ「佐陀社頭覚書断簡」が伝わる。従来この史料は、同時期の佐陀大社の祭祀、組織の様相が知られるものとして無批判に用いられてきた。しかし明応四年（一四九五）の『佐陀大社縁起』と、寛文八年（一六六八）京に持参、公家衆に進覧された『佐陀大明神縁起』の内容がほぼ同一なのに対し、本史料は内容も体裁も大幅に異なる上、祭礼名のほとんどが符合しない。また文中にみえる「幣主」の用語自体、永正頃まで遡る史料は他にない。加えて『佐陀社内証記』と同じく「佐田（ママ）大社祢き宮廻佐与之助、書写之畢」の奥書を持つ。とすれば『佐陀社内証記』同様天正頃佐与之介本人が作成した可能性がある。例えば『佐陀社内証記』の「当社御祈祷豊数書様上書次第」には「奉尊礼御祝詞三箇座」「奉歌舞御神楽三折」「奉転読大般若経全部」とあるが、「佐陀社頭覚書断簡」には、

一、祝詞座は、正神主・権神主・検校・別火之祝・祢宜之祝、これ役なり

一、神楽所役の事、幣主・神子十二人、五人役者として御神楽成就なり

一、大般若座の事、本擔坊、法花院六坊として大般若の御祈祷成就なり、経奉行者別当とて、これ経所の人数なり

とある。「祝詞三箇座」についても、「佐陀社頭覚書断簡」には正神主以下の座配として東座・中座・西座を記しており、両者間には密接な対応関係を見出すことがで

きる。この二つの史料が佐与之助や宮川氏の主張を反映するものとすれば、神楽所役を管掌するのは、検校ではなく幣主であり、その下に神子一二人、役者五人が附属する構成であった。

　佐与之助を巡っては、更にまた宮川家に古面三点と面箱、矛が伝来しており、それぞれ、

　　　天文弐拾年
　　　　一猿田彦　　予《(矛)》
（面箱）祢宜舞三番　二天児屋根神　幣
　　　　三太玉之神　榊
　　辛亥卯月三日　祢宜職
　　　　　　宮川佐与輔清秀
（矛）天文二十年祢宜舞予　祢宜宮川宮内大夫清□

とある。年紀の天文二十年（一五五一）は、天正の頃よりも二、三十年も前に遡る。一方これを用いる舞を「祢宜舞」と称している点は、幣主の呼称成立以前の資料であることを物語るようである。注目すべきは「卯月三日」で、前述の通りこの日は『佐陀大社御神事帳』に、唯一田楽の記述がある四月三日の神事（直会祭）の日である。

　明治二十五年（一八九二）に祠官朝山渚が作成した『取調書』をもとに概観すると、この日の祭礼は、当社に伊弉諾・伊弉冉両尊を合わせ祀った際、勅使の参向があった故事に基づくという伝承があり、A殿ノ神事（現在は庭上に茣蓙を敷いて行う）、B庭上ノ神事（獅子舞、神事相撲三番。Cに同時平行して行う。現在は獅子舞のみ）、C国庁ノ神事（現在は舞殿で行う）、D流鏑馬《やぶさめ》（廃絶）から成る。

　この内Aの神事では「真の神楽」と呼ばれる巫女神楽（現在は神職が着面で行う）の後に古式の直会《なおらい》を行い、Bでは二人立ちで尾に鈴をつけた獅子が四方固めの後、勅使名代役の神職より神扇を受ける。これは八月十三日御神事と同様に国衙から役人が出仕した名残だろう。

　C国庁ノ神事は、「巫女舞」「地固めの舞」「三番の舞」の三段で構成される。

　1、「巫女舞」では、女面を着けた緋衣《ひえ》の神職が、角をずらして二つ折りした舞料紙を両手に持ち、四方を逆時計回りに一巡し、隅に至るたび中央に向け懐紙を交差させる。

　2、「地固めの舞」は、直面の神職が時計回りに一巡し、隅に至るごとに中央に向けて中啓《ちゅうけい》をもって地を打つ所作を三度行う。

国庁神事三番の舞の内「幣の舞」

国庁神事「巫女舞」と庭上の神事「獅子舞」

3、「三番の舞」は、烏帽子《えぼし》・狩衣《かりぎぬ》に中啓を持つ神職が、①矛の舞、②幣の舞、③榊の舞と、その都度みずから舞台上で面と採物を替え、足を踏み出すごとに持物《じもつ》を左右の肩に担ぎ替えつつ前方に進み、折り返すこと一度のみ行う。

「三番の舞」は極めて単調、短時間の舞である。しかしこの舞こそ前述の面に対応し、本来①猿田彦《さるたひこ》神、②天児屋根《あめのこやね》神、③太玉《ふとたま》神から成る舞であることは明らかで、所謂天の岩戸神話を故事として意識していることが知られる。ここで想い起こされるのは、元和七年（一六二一）吉田兼従《かねより》より観世重成《しげなり》に伝授された「翁の大事」（奥書に永禄元年（一五五八）吉田兼右《かねみぎ》より武田信《のぶ》豊《とよ》に伝授の旨あり。観世文庫所蔵）に、式三番の第一は翁（太玉の神。千歳振《せんざいぶり》）、第二は天児屋根尊（神道の翁）、第三は天鈿女命（猿田姫。三番申楽《さんばさるがく》）とあることである。

またこの三番の舞がもと阿吽《あうん》の面を用いていたことから想起されるのは、かつて伊勢猿楽の一つ、和谷座《わやざ》の和谷太夫が遷宮に伴って行った方堅《ほうがため》神事における「反閉《へんばい》（反閇）」である。和谷家旧蔵の「諸社造宮方堅夜神事執行次第」によれば、この神事では二日にわたり種々の行事を行っているが、その内「反閉」においては「猿田彦ノ面ヲカケル。此面ノ名ハ鼻長トモ王舞トモ、鼻高トモ猿田彦トモ云フ（略）我ガ家ニハ阿ト吽ト弐面有（略）四方八方共ニ閉堅者也」阿吽二面の猿田彦の面を用いて行われた。前述の『取調書』によれば、佐陀の三番の舞も「往昔当社ノ初テ起リシ時ノ地固メノ式ヲ伝フルモノナリトイヘリ」という伝承があったという。

かつて石塚尊俊氏は、この舞を神能成立以前、既に着面の神楽が行われていたことを意味するものと評価するとともに、宮川家は系図によれば伊勢を出自とし、もとは猿田氏とも称していたこと、「佐陀社頭覚書断簡」に「四月三日神明ノ祭」とあることから、宮川氏によって伊勢から将来された神明の祭りの可能性を指摘した。和谷の例からすれば、「三番の舞」は呪師《しゅし》猿楽《さるがく》の系譜をひく伊勢猿楽の流れを受けている可能性があろう。そしてまた、佐陀神能の式三番に先行するものとしても位置付けられよう。ただしこの祭礼は既に『佐陀大社御神事帳』にみえ、田楽が行われていたことは明らかだから、むしろ十六世紀中頃ないしは末頃に宮川清秀を主体として改変整備がなされたとみるべきであろう。

五　高宮社の主張と佐陀神能の成立

一方ほぼ同時期に、西隣する大野郷の高宮社《たかのみや》（内神社）においても新たな動きがみられた。同社は『出雲国風土記』所載の宇智社で、安心高野《あしたかぬ》（本宮山）から養老元年（七一七）に南麓の現社地に遷座したと伝える。中近世には高宮、足高大明神と称した。同社の所在する大野庄の領家は聖護院、在地領主は大野氏、後に宍道氏で、天正十年（一五八二）宍道氏は高宮社の大宮司家原氏（秀清《ひできよ》、後に秀勝《ひでかつ》に改名）に神領、神主職及び位知《いち》・物中《ものもうし》役を安堵している。

かつて石塚氏は、天文三年（一五三四）の『大野高宮社記』に「八月廿四日・五日、御座替御祭礼式日として七座神事を執行せしめ、以て国家泰平を祈るものなり」とあるのを文献上の「七座神事」の初見とし、勝部月子氏は永正九年（一五一二）には「この採物舞も着面の神能舞と共に同じ舞座で舞われていたと考える」と評価した。しかしこの『社記』に次いで「七座神事」の語が登場するのは、百年以上も経た承応二年（一六五三）の『懐橘談《かいきつだん》』である。この間、同社の文書はもとより佐太神社文書等他の文書に一切見えないのはなぜなのか。

天正十五年（一五八七）九月、「養老五年八月中旬これを記録す」とある同社の『縁起』を家原秀勝《ひでかつ》が書写した奥書《おくがき》には、「右当社縁起、往古よりござ候へども、当国乱入に付て損失せしむるのところ、中興たる神主家原大宮司秀勝、日本記（ママ）・本懐記・神風記、大図をもってこれを綴り畢《おわ》んぬ」とあって、天文三年の『社記』には触れておらず、御座替神事の記事はあるが、「七座神事」の語はみえない。また『縁起』では大明神の本地を大日（毘盧遮那《びるしゃな》）とするのに対し、『社記』のほうには全く習合色がない。従って『社記』は天正十五年の『縁起』よりも後に成立したと考えられ、十六世紀段階では七座の舞は存在したとしても「七座神事」の呼称はまだなかったとみるべきである。

さて高宮社の『縁起』にみえる御座替神事の記事は次のとおりである。

八月廿四日ニハ、島根・秋鹿・楯縫三郡ノ社家当社ニ集会《シュエ》シ、御座替ヘト号シテ一夜法楽ヲ奏《ソウ》シ、貴《キ》賎《セン》男女参詣ノ歩《アユミ》ヲ運フ事、盛市ノ如ク群集《クンシュ》ス、其後佐陀ノ社ト云ハ、（中略）日本ノ惣廟《ソウヒョウ》為（た）ルニ依テ、元正天皇ノ勅言《チョクゲン》ヲ以テ養老三年ニ大社ノ建立有ル、其ノ時《トキ》三郡ノ社家、当社ノ神事ヲ移《ウツ》シ、各各佐陀ノ宮ニ走集《ハセアツマ》リ法楽ヲ致ス、其ノ外カ舞童《フトウ》・田楽《デンガク》・矢鏑流馬《ヤフサメ》・神子村等《ミコノムラトウ》皆ナ悉《コトコト》ク当社従リ伝《ツタエ》ル、之（これ）ニ依リ同夜ニ御座替ヘノ神事執行有ル者ノ也

元来御座替神事は当社より佐陀大社に伝えられたものという。その是非はともかく、加えて「舞童・田楽」等も伝えられたとあることは、それらも佐陀大社で行われていたことを傍証する。慶長四年（一五九九）に秀勝が家原仙千代丸に宛てた年中行事の注文には、

一、八月廿四日御座替ノ御祭、弐尺八寸莚一まい、明神の御座かへ申し候、廿四日ノ丑ノ時にて候、其間ハ社人衆舞共まい候て、又返拝、御座をしき、祝言を申し、天下泰平ノ御祈念申し候、其夜ハ夜半ニ濁酒となはん共、少し仕り候て、御子衆社家へ神前□てまいらせ候

一、同廿五日、□御代官・両役人衆、近年ハくミかしら衆、西東共ニ、又東ニハ賀藤殿、西ニハ小林殿、其外《そのほか》の歳寄（年寄）衆四五人、御神前にてさかなめし候て、御酒申し候、社人・いち衆なとハ、よこや（代宮家）にてめしま□□□（いらせ）、東庄百姓衆各々参られ候、二しゆさかなにて、濁酒三返（遍）のまれ候、御代官ノ前へハ清酒まいらせ候、其上にて御へいをおろし申候、さて舞共取り持ち候て御神楽まわせ、御取久米御代官へ進上申し候

とあり、同社では大野莊というまとまりで御座替神事を行っていた。神事と舞は二四日の丑の時をはさんで前後に、翌日は代官らに加えて大野東庄・西庄（大垣）の重立つ者と大野東庄の百姓も参集して神事成就の直会と神楽を行ったことが知られる。問題は二五日の「御神楽」の内容で、佐陀と同様であったかわからないが、高宮社との競合が佐陀大社における神楽の整備洗練を後押しす

る働きをなしたことは想像に難くない。

　前述のように、伝承では幣主祝の宮川秀行が京に赴いて能の所作を学んだのは慶長の初めという。また「神能」の呼称の文献上の初見は寛永十六年（一六三九）の「当社下遷宮次第之事」である。しかし神能に近いものは既に天正の頃には存在していた。

　天正三年（一五七五）、島津家久は京から薩摩への帰途、温泉津の小浜（現大田市）で「出雲の衆、男女・わらハへあつまりて、能ともなし、神まひ（神舞）ともわかぬおひいれ、出雲哥とて、舞うたひたる見物」している。年代は降るが『懐橘談』は松江城下及び周辺における十七世紀前半の神楽の様相を次のように描写する。


　凡《およ》そ城下に、熊野・揖屋・橋姫（売布神社）・伊勢の宮など諸神の社ありて、二仲の神事、御神楽又は能あり、江戸にて見し能とはかはり、先づ七座の神事と云ふあり、一には剣の舞、是は七徳武の舞の遺法なるべし、二には塩、是は潮を汲んで席を清むる心なり、三には御座の舞、是は八月廿四日佐陀宮の御座をかふる舞なり、四には灌頂《（マヽ）》、五には祝言、六には手草榊をもって舞い奏で侍《はべ》る、七には乙女、是を七座の翁と云ふ、其外王子立《おうじたて》なんどいふ事有りて、式三馬《（番）》の舞あり、八雲の歌を歌ひて、笛・鼓・調拍子をならして舞い奏で、能には切目《きりめ》・荒神（天照大神ともへり）・八戸坂《やとがさか》・十羅《じゅうら》・大社《おおやしろ》（佐陀ともいへり）・天狗（石山ともいへり）・揖屋・恵美酒なんといふ能をぞいたしける、神歌なんどいふを聞けば、卑俚の言葉、いなかびたる歌かなと、いとおかしければ、又催馬楽《さいばら》・今様《いまよう》なんど古風の残りたる歌もあり、殊勝なりし社司なんど思へば、ふつつかなりし狂言などせり、大抵おこがましき事どもなり

すなわち、最初に①七座の神事、次いで②「八雲の歌を歌ひて、笛・鼓・調拍子をならして舞奏でる」王子立・式三番を行い、その後③「江戸にて見し能とはかは」った能を演ずる三段構成であった。また社司の唱える神歌などの詞章は「卑俚の言葉、いなかびたる」、「古風の残りたる」印象である一方で、「ふつつか」「おこがましき」狂言も演じたという。石塚氏は「王子立（五行＝五郎の王子）」が式三番並みに扱われ、備中備後等の神楽ではこれを最も重視していることから、このような点に現在の佐陀神能以前の様相の一端が窺われることを指摘するが、狂言も今の佐陀神能には全く伝わらない要素である。『大野高宮社記』にみた御座替神事の法楽に

「貴賤男女参詣ノ歩ヲ運フ事、盛市ノ如ク群集」した背景を窺うことが出来るだろう。

出雲におけるこうした基盤のなかで、宮川氏は佐陀神能を格調高いものに整えていったと考えるべきだろう。後藤蔵四郎氏は宮川秀行が神能を興したのは慶長十三年（一六〇八）、吉田家から神道裁許状を得た頃とするが、果たして在京中に短期で習得し得たのか、また帰国後に佐陀三郡半の社家に正確に指導出来たのか疑問が残る。前述の「当社下遷宮次第之事」にはまた「五月朔日戊午ノ日ヨリ拾□人ノ神子・幣主・若宮神子・□宮・猿楽太夫・□□之祝、已上拾九人朔日ヨリ三日迄二夜三日籠」ともあり、近年猿楽大夫の関わりが指摘されている。

天正十五年（一五八七）、細川幽斎は九州下向の途次杵築大社に参詣した際、宿所に「若州の葛西」ら囃子方の一団の訪問があり、夜更けまで「乱舞」をみて興じた。前述の「出雲の衆」と同じく諸国を巡業する芸能集団は他にも存在していた。またこれより事例は古くなるが、脇田晴子氏は、『申楽談義《さるがくだんぎ》』に春日社の神事を離れて他国へ巡業するものが「神事ノ願ノ翁ナド、聊爾《りょうじ》ニスル。ソト舞イテ百文ヅツ取ル」弊を戒め、また多武峰《とうのみね》への演能勤仕《ごんじ》の役務は、五畿内及び近国を巡業している場合は参勤、それ以外の国々を巡業する場合は免除するとあることから、大和猿楽が畿内を離れて諸国を巡業していたと指摘する。寛永の下遷宮の記録によれば、神能は佐陀配下の社家のみが行っているが、猿楽大夫も忌籠りをしていることからすれば、その補佐を得ていたと考えられよう。幣主職宮川氏は京での習得に加え、そうした猿楽大夫らを参画させることによって、「能ともなし、神まひともわかぬ」レベルから洗練し、「ふつつか」「おこがましき」狂言を除き、観世弥次郎長俊《ながとし》の「大社」を「佐陀」に改変するなどのことも行いつつ、現在の佐陀神能に繋がる祖型を形作ったのではと考えられるのである。

六　まとめ

このように出雲二宮とも称される佐太神社は、かつては出雲大社に拮抗する繁栄を誇り、それに応じて神事芸能も盛んであった。次いで室町戦国期における神主家の一時的衰退のなかで、神楽をはじめとする芸能は旧殿祝から佐陀大社外の検校吉岡氏が担ったが、十六世紀末に朝山神主家が名実ともに復興するなかで幣主祝の宮川氏が管掌するようになった。この間に同社における神楽は佐陀大社の神に捧げるのではなく、佐陀の神の応護のもとで権神（本地を持たぬ諸霊）を慰撫救済するものとされた。また御座替神事の神楽は、十六世紀、吉岡氏と宮川氏を通じて、四郡の「神子・巫等」が、争乱が収まって後は四郡の「社家」が奉仕するものへと漸次変容・再編成されていったのである。

更に宮川氏が神楽を管掌するようになってから神楽は猿楽の要素を取り入れ、猿楽太夫の補佐も得て格調高いものへと洗練されていった。京の吉田家との関わりのなかで、江戸時代初頭には神仏習合色を漸次払拭し（わずかに祈祷の要素は悪切祈祷に遺し）、十七世紀のうちには大成されたのではないかと考えられるのである。

【参考文献】

『重要文化財佐太神社』（鹿島町立歴史民俗資料館、一九九七年）
地方史研究所『出雲・隠岐』（平凡社、一九六三年）
井上寛司「中世佐陀神社の構造と特質」（島根大学山陰地域研究総合センター『佐太神社の総合的研究』一九九二年、所収）
石塚尊俊『西日本諸神楽の研究』（慶友社、一九七九年）
勝部月子『出雲神楽の世界—神事舞の形成—』（慶友社、二〇〇九年）
能勢朝次『神楽源流考』（岩波書店、一九五六年）
『松江市史』通史編２（二〇一六年）
堀川康史「中世後期における出雲朝山氏の動向とその役割」（『日本歴史』八二三号、二〇一六）
脇田晴子『能楽から見た中世』（東京大学出版会、二〇一三年）
『大社町史　史料編』上巻（一九九七年）
『神道大系　神社編三十六』（神道大系編纂会、一九八三年）
『八束郡誌』総説・町村誌編（一九二五年。一九八六年、臨川書店復刻）
『続々群書類従』第九地理部（国書刊行会、一九〇六年）
『群書類従』第一八輯（群書類輯完成会、一九五九年）

なお近年山路興造氏が「「佐陀神能」再考—「佐陀神能」は慶長期以降の改革神楽である」（民俗芸能学会『民俗芸能研究』第六七号、二〇一九年九月）を発表されている。本稿と比較参照されたい。

あとがき

当財団では、平成二十四年度から公開講座を実施し、地域住民のふるさと意識の醸成《じょうせい》に努めている。同二十九年度までの六年間は、全体テーマを「出雲大社と門前町に関する総合的研究」とし、出雲大社遷宮史や門前町の発展・杵築文学などを主題に、毎年五講座一〇講演（シンポジウム・実演も含む）を行ってきた。

このような取り組みは、地域の皆様から好感を持って迎えられ、六年間の受講者総数は、約四〇〇〇名を超えるほどの盛況であった。

そして、平成三十年度からは、島根には特色ある祭りや民俗芸能が各地で行われているが、それらの内容が思ったほど県民に浸透していないことから、「島根の祭りと地域文化」を全体テーマとし、二年間をかけて考えることにした。

二年目となる今回は、主題を「島根の祭りと民俗芸能」とし、島根県内の祭りと特色ある民俗芸能について考えてみることとした。神事や仏事には、それらと関係深い芸能が執り行われるが、今回はそれらの芸能にはどのような特色がみられるかを考えてみることにした。公開講座は、例年どおり島根県立古代出雲歴史博物館との共催により開催することにした。しかし、令和二年に入って新型コロナウイルスが猛威をふるうようになり、第五回目の講座は感染拡大防止のために止む無く、中止の措置をとった。講師先生には講演資料等を準備していただいていただけに、残念なことであった。

いづも財団の公開講座は、一講座二講演をワンセットとし、年間五講座を開講し、主題へのアプローチを試みている。ただ、諸般の事情により、一人当たりの講演時間が七〇分と短いために、依頼したテーマによっては、すべてを語り尽くせなかった講師先生もある。そこで、当財団では、全員の講師の先生に語り尽くせなかった内容やその後の知見も付け加えて、原稿を書き下ろしていただいている。そのため、主旨は変わらないが、講演と論考のテーマが多少異なる場合もある。それは、このような事情によるものと考えていただきたい。

本書は、次のような章立てになっている。

序　章　第Ⅱ期公開講座の主旨と実施状況
第一章　豊作を祈願する祭り
第二章　盆と芸能
第三章　神話・伝承にもとづく祭り
第四章　神々の声を聞く神楽1
第五章　神々の声を聞く神楽2

序章は、公開講座の主旨や計画、各講演の概要、受講者数などについて事務局でまとめたものである。

第一章は、品川知彦氏に稲作の豊作を祈る神事として、模擬作業としての田植え神事について述べていただいた。田植神事は山陰各地で行われているが、その分布は出雲地域に集中しているとのことであった。また、錦織稔之氏には、豊作を祈る神事として隠岐郡西ノ島町の美田八幡宮と日吉神社で行われる中世の田楽について、豊富な写真を添えて紹介していただいた。隠岐地域には、古くからの民俗芸能が、今も人々の生活の中に息づいている。

第二章は、仏教と深く関わる盆踊りに関する論考である。山岡浩二氏は、島根県指定無形民俗文化財に指定されている「津和野踊り」を民俗学的な観点から考察し、この踊りの中には「つかみ投げ」、「ナンバ」、「無駄足」など我が国の古い芸能の所作が盛り込まれていると指摘されている。また、永井猛氏は出雲地方の盆踊りの「歌詞」に着目し、「七・五・七・七」とか「七・七・七・七」音韻律が続く「くどき」が使われていることや「ヤーハトナイ」や「ヨーイヤナー」などの掛け声が使われているなどについて詳しい考察がなされている。

第三章は、神話・伝承にもとづく祭りの論考である。横山直正氏は、美保神社の「青柴垣神事や諸手船神事」の由来とその伝承がどのようにして出来たかについて述べていただいた。また、岩崎ことい氏には、「隠岐の牛突き」について述べていただいた。これまで牛突きは承久の乱で隠岐に流された後鳥羽上皇の御心を慰めるために行われたとの伝承が語られていたが、牛突きの史料的初見は江戸後期からであり、後鳥羽上皇の祭礼後の庶民の楽しみから始まったとする新しい見解が示された。

第四・五章は、島根の神楽に関する論考である。中上明氏は、国指定重要無形民俗文化財に指定されている「大元神楽」について、神事や芸能の特質を述べていただいた。「託宣」「神がかり」に関する貴重な指摘がなされている。石山祥子氏は、出雲神楽の特色である「悪切り」について、様々な事例を駆使して紹介していただいた。また、錦織稔之氏には、隠岐神楽の特色である巫女神楽について紹介していただいた。形式的に「託宣」を踏む神楽であるとの指摘がなされている。岡宏三氏には、近世の出雲神楽の構成に大きな影響を及ぼした国指定重要無形民俗文化財の「佐陀神能」について、その成立の経緯などを考察していただいた。

最後になったが、本書の刊行に当たり、忙しい中をご執筆いただいた講師の先生方に、まずもって感謝したい。また、出雲大社や島根県立古代出雲歴史博物館など多方面から多大なご協力を賜った。皆様方に厚く御礼を申し上げたい。

令和三年九月吉日

公益財団法人いづも財団
出雲大社御遷宮奉賛会

◈**執筆者**（執筆順）
品川　知彦（島根県立古代出雲歴史博物館学芸部長）
錦織　稔之（出雲市立佐田中学校教諭）
山岡　浩二（津和野踊り保存会会長）
永井　　猛（米子工業高等専門学校名誉教授）
横山　直正（美保神社権禰宜）
岩崎ことい（隠岐の島町教育委員会社会教育課文化振興係主任）
中上　　明（島根県立浜田高等学校教諭）
石山　祥子（島根県古代文化センター専門研究員）
岡　　宏三（島根県立古代出雲歴史博物館専門学芸員）
※令和３年９月１日現在

事務局　公益財団法人いづも財団
山﨑　裕二（事務局長）
梶谷　光弘（事務局次長）
松﨑　道子（事務局員）

島根の祭りと民俗芸能

発行日　令和３年10月１日
編　集　公益財団法人いづも財団
出雲大社御遷宮奉賛会
発　売　今井出版
印　刷　今井印刷株式会社
製　本　日宝綜合製本株式会社

ISBN 978-4-86611-261-9